도형 학습의 기준

플라토

PLATO

F3

입체설계 | 초6

사고가 자라는 수학
씨투엠

플라토가 제안하는 도형 학습법

도형 학습지 플라토를 처음 기획하던 때의 기억이 선명하네요. 처음에는 아이들에게 그다지 필요하지 않을 거라 생각해서 소수의 학원에서만 풀리는 교재로 생각했는데 교재가 모양을 갖추어가자 점점 모든 아이들이 즐겁게 도형을 풀 수 있는 책이 만들어질 거라는 확신이 들었지요.

처음 교재를 쓰면서 놓치지 않고 싶었던 콘셉트는 딱 이거였어요.
"쉽고! 가볍게!"
쉬운 교재를 쓴다는 것이 결코 쉽지 않았답니다. 쓰다 보면 어느새 높은 수준의 공간 감각을 요구하는 어려운 문제가 막 튀어나오고 난리도 아니었지요. 그럴 때마다 '아니야, 이 책은 정말 쉽고 가벼워야 해. 아이들이 술술 풀 수 있는 학습지여야 한다고!' 하며 다시 마음을 다잡고 어려운 문제를 빼고 다시 쓰기를 반복했답니다.

우여곡절 끝에 나온 '플라토'를 지난 6년 정도의 시간 동안 정말 깜짝 놀랄 만큼 많은 아이들이 선택하여 풀게 되었지요. 처음 생각했던 가볍고 쉬운 도형 학습지라는 콘셉트가 많은 부모와 아이들에게 받아들여졌다는 사실이 저자로서 무척이나 기쁘고 정말 뿌듯하답니다. 플라토가 단순히 도형을 체계적으로 학습하기 위한 학습지라는 개념을 넘어, 아이들이 도형, 더 나아가 수학에 대한 자신감을 가질 수 있게 하는 수학 학습의 시작점이 되었다는 사실이 무엇보다 자랑스럽습니다.

아이들을 위한 수학책을 집필하면서 수학 때문에 힘들어하는 아이들에게 또 하나의 짐을 더 지워주는 것이 아닌가 하는 걱정이 있었어요. 도형 학습지 플라토가 초등 도형 학습이라는 새로운 영역을 개척하며 점점 성장하는 것과 함께 어쩌면 도형도 따로 공부해야 한다는 또 다른 짐이 되어버린 것 같아 아쉽기도 했지요. 하지만 지난 몇 년간 플라토를 푼 많은 아이들이 올려준 후기를 보면서 저희의 걱정이 지나쳤다는 확신이 생겼답니다. 플라토를 푼 아이들, 플라토로 수학을 시작한 아이들은 수학이 괴롭고 힘들다는 인식 대신, 수학을 가볍고 부담 없고 만만한 것으로 받아들이게 되는 과정을 몸소 보여주었어요. 이것은 저희가 처음에 플라토를 기획했던 때에 기대했던 반응과 효과를 넘어선 정말 커다란 수학 학습의 변화라고 자평한답니다.

많은 사랑을 받았던 플라토가 이제, 플라토를 접한 이들의 소중한 피드백과 함께 새로운 개정판으로 다시 태어났어요. 원래 플라토가 가지고 있던 장점은 그대로 가진 채, 좀 더 예뻐지고, 좀 더 친절해지고, 좀 더 풍성해진 모습으로 다시 한번 아이들에게 다가가려 합니다. 이러한 작은 변화가 아무쪼록 여전히 수학, 그리고 도형으로 고민하는 많은 부모와 아이들에게 기쁜 소식이 되었으면 해요.

새로운 플라토, 잘 부탁드리고, 또 많은 관심과 의견 보내주시면 정말 고마울 거예요.

2022년 지식과상상연구소 드림

도형학습, 자주 묻는 질문과 답변

질문 1 도형 학습 반드시 필요할까요? 또는 어떤 아이들에게 필요할까요?

도형 영역의 성취도가 다른 영역에 비해 확연하게 높은 아이들과 선천적으로 공감 감각이 뛰어난 친구에게는 필요하지 않겠지요. 그러나 초등학교의 도형 학습은 단원 간 시간 간격이 상당히 크기 때문에 아이들이 도형의 기본 개념을 연계하여 학습하지 못하는 어려움이 있고, 이러한 어려움이 누적되면 훨씬 어려운 중학교 도형 영역에서 힘들어하는 경우가 많답니다. 이 때문에 좀 더 도형을 체계적으로 꾸준하게 하고 싶다는 아이들에게는 반드시 추천합니다.

특히 도형을 어려워하거나 싫어하는 친구들에게 플라토는 특효약이 될 수도 있다는 점 잊지 마세요.

질문 2 도형 학습은 교구가 반드시 필요한가요?

영유아기에 도형 교구를 다루어 본 아이들과 그렇지 않은 아이들은 초등 단계에서 유의미한 도형 학습의 성취도 차이를 보이기는 합니다. 그러므로 3세~7세의 아이들에게 도형 교구를 노출시켜주어야 한다고 생각해요. 유아 단계에서는 놀이를 중심으로 한 교구 학습을 추천하고, 플라토를 시작하고 진행하는 단계에서는 교구를 도형 학습의 보조 도구로 활용하는 것이 좋을 것 같습니다. 예를 들어 플라토를 풀다가 거울에 비친 모양을 어려워한다면 거울 교구를, 칠교를 어려워한다면 칠교 교구를 직접 만지면서 문제를 푸는 것이 학습 효과를 높일 수 있지요. 플라토 개정판에서는 연관 교구를 표시해 두었고, 일부 교구재를 교재와 함께 제공하고 있습니다.

질문 3 반드시 추천하는 도형 교구가 있나요?

반드시 필요한 도형 교구라면 교과서에 등장하는 도형 교구라고 생각해요. 패턴블록, 거울(리플렉터), 칠교, 펜토미노, 쌓기나무, 입체 모형, 지오보드 등이 교과서에 빠지지 않고 등장하는 교구이지요. 이러한 교구를 한 번에 묶어서 구성해 놓은 것이 플라토 주머니랍니다. 필요하신 분은 검색해 보세요!

질문 4 아이가 플라토를 너무 빨리 풀어요. 어떻게 해야 할까요?

입문 단계의 플라토는 정말 쉽게 만들었기 때문에 어떤 아이들은 한 달 분량의 교재를 1주일이나 빠르게는 2~3일 만에 풀곤 한답니다. 아이가 학습지를 스스로의 의지로 빨리 풀어낸다는 것은 좋은 일이지요. 칭찬해 주어야 마땅합니다. 6세~2학년 정도까지는 도형 학습에 있어 좀 더 윗 단계를 푸는 것도 크게 어렵지 않습니다. 그래서 아이 연령에서 2단계~3단계 위까지는 아이가 속도감 있게 풀면서 쭉 나가주어도 괜찮아요. 그러다가 아이들이 학교에서 배워야만 풀 수 있는 주제가 나올 때 잠시 멈추고 연산/사고력 문제집을 풀게 하는 것이 좋습니다. 윗 단계의 도형 학습을 수월하게 진행하려면 연산 학습과 사고력 학습도 같이 진행하는 것이 좋기 때문입니다.

질문 5 플라토만으로 도형 학습을 다 했다고 할 수 있을까요? 너무 쉬운 문제만 푸는 게 아닐까 불안해요.

플라토는 분명 쉬운 교재이지만 초등 수학 수준에 필요한 난이도의 도형 문항은 모두 수록되어 있답니다. 하지만 아이들에 따라 도형 학습에 재미를 붙이는 단계에서 좀 더 수준 높은 문제로 공간 감각과 사고력을 키우고 싶을 수도 있지요. 이런 경우 사고력수학 교재의 도형 영역으로 좀 더 심화된 학습을 하는 것을 추천합니다. 또한 우리 플라토도 좀 더 확장된 도형 학습을 필요로 하는 아이들을 위한 심화 교재를 준비하고 있으니 기대해주세요!

플라토 전체 커리

교재		S(6세)	P(7세)	A(초등학교 1학년)
1권 **평면규칙**	1주차	점과 선	도형 그리기	점과 선의 수
	2주차	똑같은 모양	같은 도형	여러 가지 도형
	3주차	도형 세기	도형 세기	도형 세기
	4주차	도형 규칙	도형 규칙	도형 규칙
2권 **도형조작**	1주차	길이 비교	같은 길이	넓이 비교
	2주차	모양 붙이기	세모 붙이기	패턴블록
	3주차	모양 자르기	네모 붙이기	도형 돌리기
	4주차	거울과 위치	거울에 비친 도형	모양 만들기
3권 **입체설계**	1주차	입체 모양 관찰	입체도형 관찰	입체도형 연구
	2주차	블록 모양 만들기	블록 모양 만들기	여러 가지 입체
	3주차	쌓기나무	쌓기나무	쌓기나무 세기
	4주차	입체도형 세기	층층 쌓기	입체도형 추리
4권 **공간지각**	1주차	잘라내기	구멍난 종이	구멍난 종이
	2주차	종이 접기	종이 접기	접고 잘라내기
	3주차	투명 종이 겹치기	여러 방향 관찰	여러 방향 관찰
	4주차	모양 겹치기	도형 겹치기	겹친 실루엣

B(초등학교 2학년)	C(초등학교 3학년)	D(초등학교 4학년)	E(초등학교 5학년)	F(초등학교 6학년)
원과 다각형	직선과 각	각도기와 각	다각형의 둘레	원주와 원주율
도형 그리기	직각이 있는 도형	삼각형	합동	원을 이용한 길이
도형 세기	도형 그리기	수직과 평행	선대칭	원의 넓이
점판 그리기	패턴 무늬	다각형	점대칭	원을 이용한 넓이
길이 재기	밀기와 뒤집기	도형의 각	직사각형의 넓이	직육면체의 겉넓이
칠교판	돌리기	삼각형의 성질	평행사변형, 삼각형의 넓이	직육면체의 부피(1)
길이의 합과 차	도형의 이동	사각형의 성질	사다리꼴, 마름모의 넓이	직육면체의 부피(2)
모양 만들기	원과 길이	선 긋기와 각	다각형의 넓이	원기둥의 겉넓이와 부피
입체도형 연구	쌓기나무 그리기	입체 찍기	직육면체	각기둥
본뜬 모양	쌓기나무 세기	입체도형 포장	직육면체의 전개도	각뿔
쌓기나무 발자국	입체의 부피	쌓기나무 포장	전개도 그리기	전개도
쌓기나무 세기	큐브 블록	포장 종이 잇기	전개도와 대각선	원기둥, 원뿔, 구
색종이 공예	색종이 공예	점의 이동	점의 이동	쌓기나무의 수
여러 방향 쌓기	구멍난 종이	모양과 점의 이동	모양과 점의 이동	위, 앞, 옆 모양
투명 종이 겹치기	여러 방향 관찰	같은 모양, 다른 모양	주사위	위, 앞, 옆과 수
그림자 추리	색종이 겹치기	정다각형을 붙인 모양	뚜껑이 없는 상자	큐브 연결

이 책의
목차

1 주차

각기둥

각기둥 찾기

✏️ 각기둥을 찾아 ○표 하시오.

위아래에 있는 면이 서로 평행하고 합동인 다각형으로
이루어진 입체도형을 각기둥이라고 합니다.

각기둥의 옆면은
모두 직사각형이지.

1

2

3

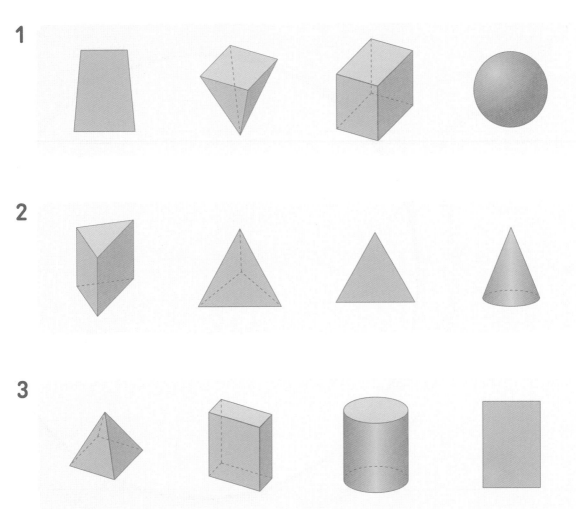

4

5

6

7

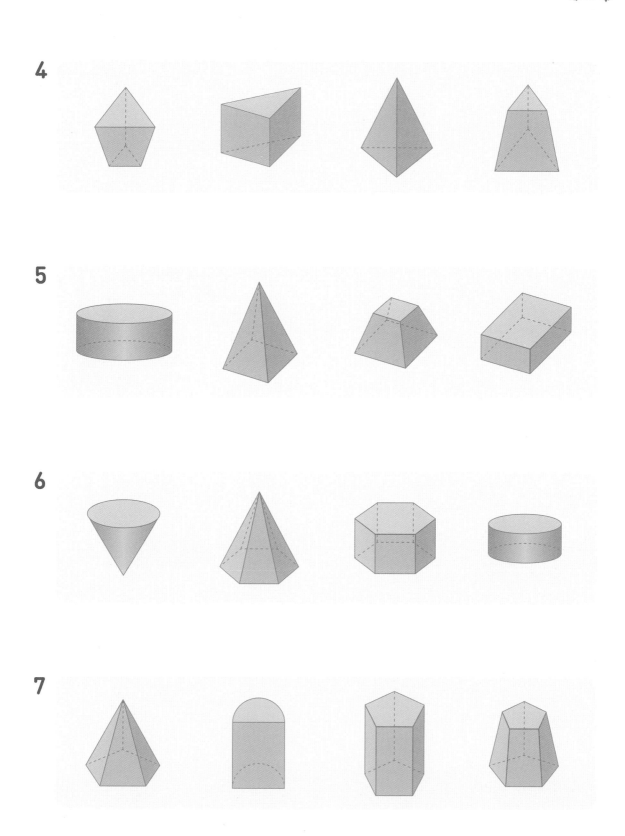

2일 밑면과 옆면

✏️ □ 안에 알맞은 말 또는 수를 써넣으시오.

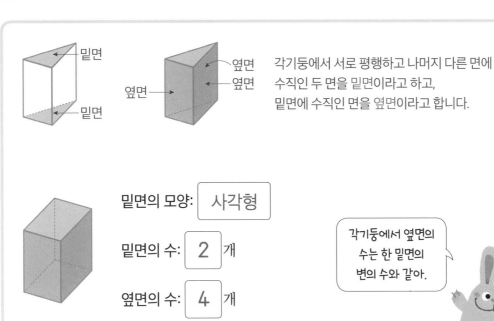

각기둥에서 서로 평행하고 나머지 다른 면에
수직인 두 면을 밑면이라고 하고,
밑면에 수직인 면을 옆면이라고 합니다.

밑면의 모양: 사각형

밑면의 수: 2 개

옆면의 수: 4 개

각기둥에서 옆면의
수는 한 밑면의
변의 수와 같아.

1

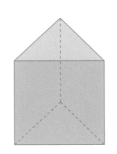

밑면의 모양: [   ]

밑면의 수: [   ]개

옆면의 수: [   ]개

2

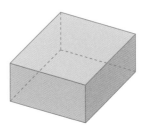

밑면의 모양: [   ]

밑면의 수: [   ]개

옆면의 수: [   ]개

3

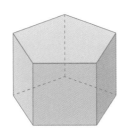

밑면의 모양: ⬜

밑면의 수: ⬜ 개

옆면의 수: ⬜ 개

4

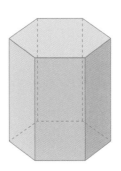

밑면의 모양: ⬜

밑면의 수: ⬜ 개

옆면의 수: ⬜ 개

5

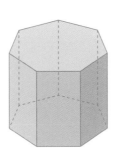

밑면의 모양: ⬜

밑면의 수: ⬜ 개

옆면의 수: ⬜ 개

6

밑면의 모양: ⬜

밑면의 수: ⬜ 개

옆면의 수: ⬜ 개

✏️ 각기둥의 이름을 ☐ 안에 써넣으시오.

삼각기둥   사각기둥   오각기둥   육각기둥

각기둥은 밑면의 모양에 따라 이름이 정해져.

1

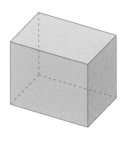

☐

2

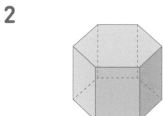

☐

3

☐

4

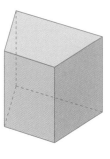

☐

5

6

7

8

9

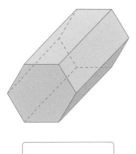

10

꼭짓점, 면, 모서리

✏️ ☐ 안에 알맞은 수를 써넣으시오.

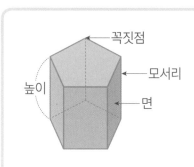

꼭짓점 — 꼭짓점
모서리 — 모서리
높이
면 — 면

꼭짓점, 면, 모서리를 세어 보면 한 밑면의 변의 수와 관계된 규칙을 찾을 수 있어.

꼭짓점의 수: ☐10 개 ← (한 밑면의 변의 수)×2

면의 수: ☐7 개 ← (한 밑면의 변의 수)＋2

모서리의 수: ☐15 개 ← (한 밑면의 변의 수)×3

1

꼭짓점의 수: ☐ 개

면의 수: ☐ 개

모서리의 수: ☐ 개

2

꼭짓점의 수: ☐ 개

면의 수: ☐ 개

모서리의 수: ☐ 개

3

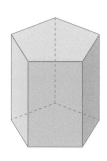

꼭짓점의 수: ☐ 개

면의 수: ☐ 개

모서리의 수: ☐ 개

4

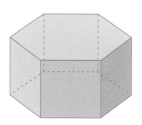

꼭짓점의 수: ☐ 개

면의 수: ☐ 개

모서리의 수: ☐ 개

5

꼭짓점의 수: ☐ 개

면의 수: ☐ 개

모서리의 수: ☐ 개

6

꼭짓점의 수: ☐ 개

면의 수: ☐ 개

모서리의 수: ☐ 개

각기둥 자르기

✏️ 각기둥을 ──을 따라 두 조각으로 잘랐습니다. 잘린 면의 모양을 찾아 ○표 하시오.

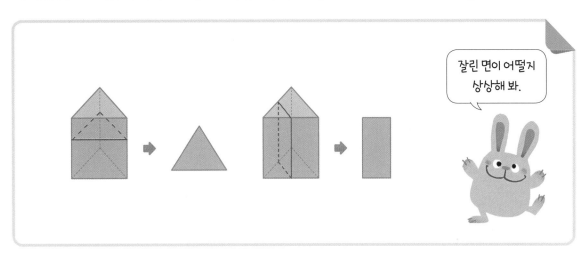

잘린 면이 어떨지 상상해 봐.

1

2

3

4

5

6

7

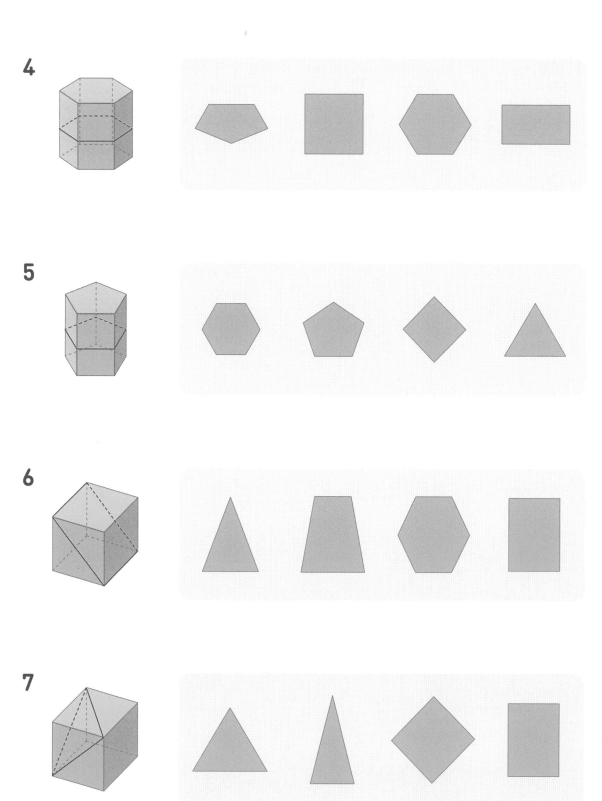

✏️ 각기둥을 찾아 ◯표 하시오.

1

2

   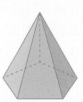

✏️ 각기둥의 이름을 ☐ 안에 써넣으시오.

3

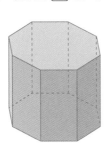

4

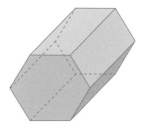

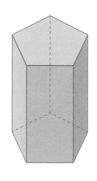

✏️ ☐ 안에 알맞은 수를 써넣으시오.

5

꼭짓점의 수: ☐ 개

면의 수: ☐ 개

모서리의 수: ☐ 개

6

꼭짓점의 수: ☐ 개

면의 수: ☐ 개

모서리의 수: ☐ 개

✏️ 각기둥을 ── 을 따라 두 조각으로 잘랐습니다. 잘린 면의 모양을 찾아 ◯표 하시오.

7

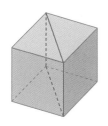

✏️ 각뿔을 찾아 ◯표 하시오.

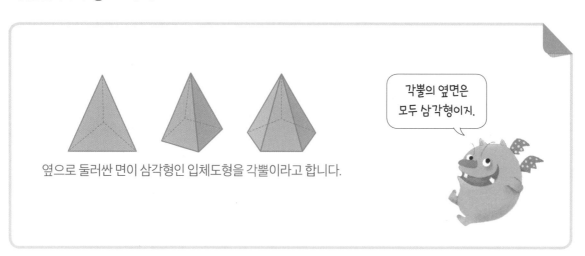

옆으로 둘러싼 면이 삼각형인 입체도형을 각뿔이라고 합니다.

각뿔의 옆면은 모두 삼각형이지.

1

2

3

4

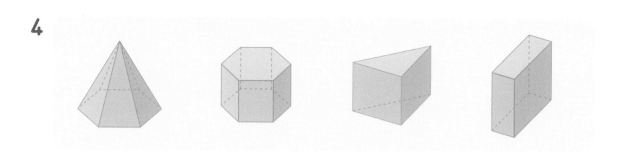

5

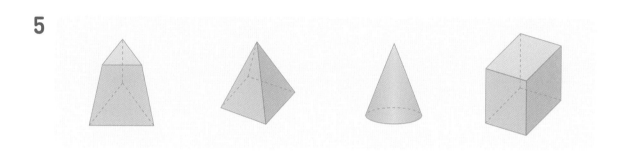

6

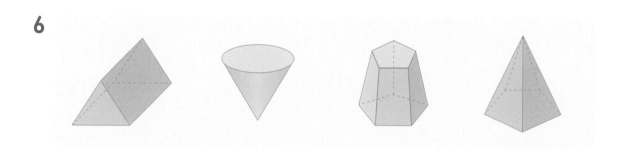

7

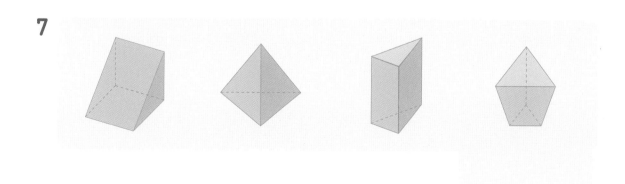

밑면과 옆면

✏️ ☐ 안에 알맞은 말 또는 수를 써넣으시오.

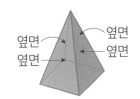

각뿔에서 밑에 놓인 면을 밑면이라 하고,
옆으로 둘러싼 삼각형 모양의 면을 옆면이라고 합니다.

밑면의 모양: 사각형

밑면의 수: 1 개

옆면의 수: 4 개

각뿔에서
옆면의 수는 한 밑면의
변의 수와 같아.

1

밑면의 모양: ☐

밑면의 수: ☐ 개

옆면의 수: ☐ 개

2

밑면의 모양: ☐

밑면의 수: ☐ 개

옆면의 수: ☐ 개

3

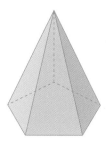

밑면의 모양:

밑면의 수: 개

옆면의 수: 개

4

밑면의 모양:

밑면의 수: 개

옆면의 수: 개

5

밑면의 모양:

밑면의 수: 개

옆면의 수: 개

6

밑면의 모양:

밑면의 수: 개

옆면의 수: 개

3일 각뿔의 이름

✏️ 각뿔의 이름을 ☐ 안에 써넣으시오.

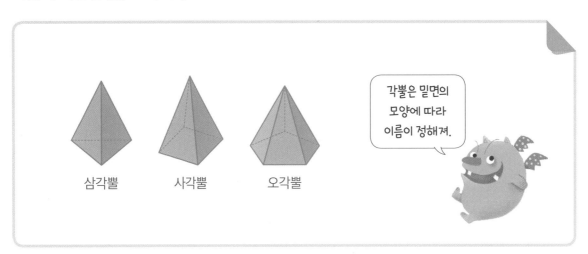

삼각뿔 사각뿔 오각뿔

각뿔은 밑면의
모양에 따라
이름이 정해져.

1

☐

2

☐

3

☐

4

☐

5

6

7

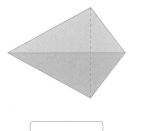

8

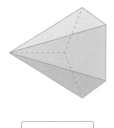

9

10

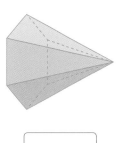

꼭짓점, 면, 모서리

✏️ ☐ 안에 알맞은 수를 써넣으시오.

각뿔의 꼭짓점: 꼭짓점 중에서 옆면이 모두 만나는 점

높이

모서리

면

꼭짓점

모양을 살펴보면 꼭짓점, 면, 모서리와 한 밑면의 변의 수와의 규칙을 이해할 수 있어.

꼭짓점의 수: **6** 개 ← (한 밑면의 변의 수)+1

면의 수: **6** 개 ← (한 밑면의 변의 수)+1

모서리의 수: **10** 개 ← (한 밑면의 변의 수)×2

1

꼭짓점의 수: ☐ 개

면의 수: ☐ 개

모서리의 수: ☐ 개

2

꼭짓점의 수: ☐ 개

면의 수: ☐ 개

모서리의 수: ☐ 개

3

꼭짓점의 수: ⬜ 개

면의 수: ⬜ 개

모서리의 수: ⬜ 개

4

꼭짓점의 수: ⬜ 개

면의 수: ⬜ 개

모서리의 수: ⬜ 개

5

꼭짓점의 수: ⬜ 개

면의 수: ⬜ 개

모서리의 수: ⬜ 개

6

꼭짓점의 수: ⬜ 개

면의 수: ⬜ 개

모서리의 수: ⬜ 개

각뿔 자르기

✏️ 각뿔을 ──을 따라 두 조각으로 잘랐습니다. 잘린 면의 모양을 찾아 ○표 하시오.

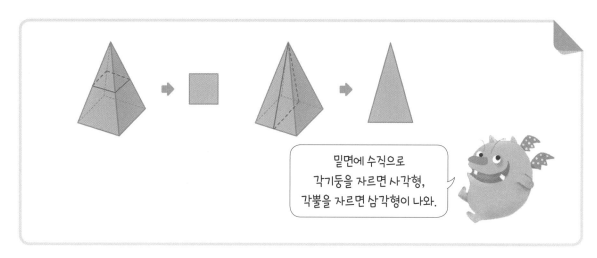

밑면에 수직으로
각기둥을 자르면 사각형,
각뿔을 자르면 삼각형이 나와.

1

2

3

4

5

6

7

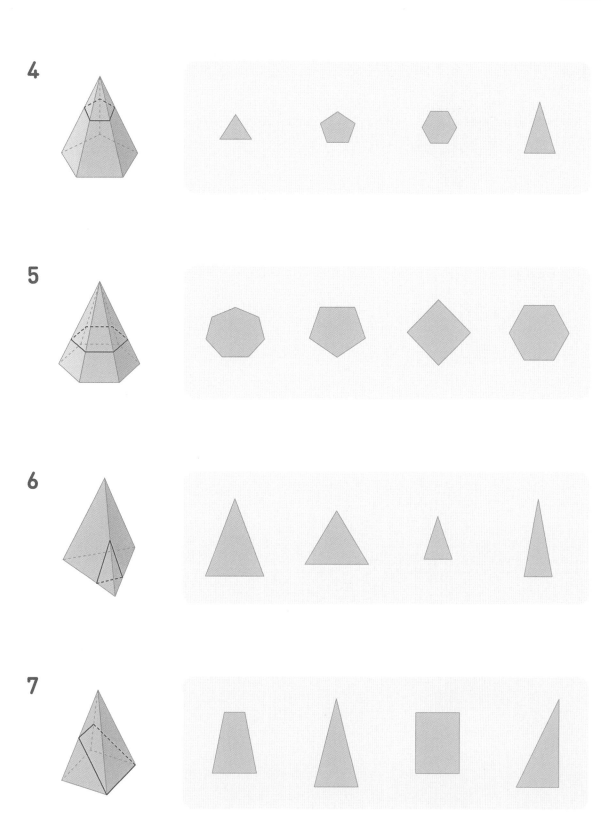

✏️ ☐ 안에 알맞은 말 또는 수를 써넣으시오.

1

밑면의 모양: ☐

밑면의 수: ☐ 개

옆면의 수: ☐ 개

2

밑면의 모양: ☐

밑면의 수: ☐ 개

옆면의 수: ☐ 개

✏️ 각뿔의 이름을 ☐ 안에 써넣으시오.

3

☐

4

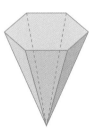

☐

✏️ ☐ 안에 알맞은 수를 써넣으시오.

5

꼭짓점의 수: ☐ 개

면의 수: ☐ 개

모서리의 수: ☐ 개

6

꼭짓점의 수: ☐ 개

면의 수: ☐ 개

모서리의 수: ☐ 개

✏️ 각뿔을 ── 을 따라 두 조각으로 잘랐습니다. 잘린 면의 모양을 찾아 ○표 하시오.

7

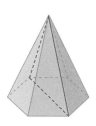         

3
주차

전개도

전개도 접기

✏️ 전개도를 접었을 때 만들어지는 입체도형에 ○표 하시오.

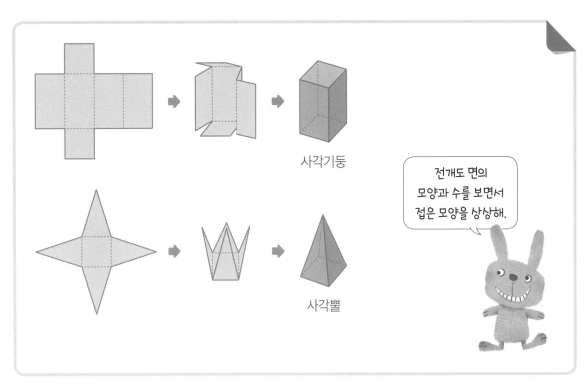

사각기둥

사각뿔

전개도 면의 모양과 수를 보면서 접은 모양을 상상해.

1

2

3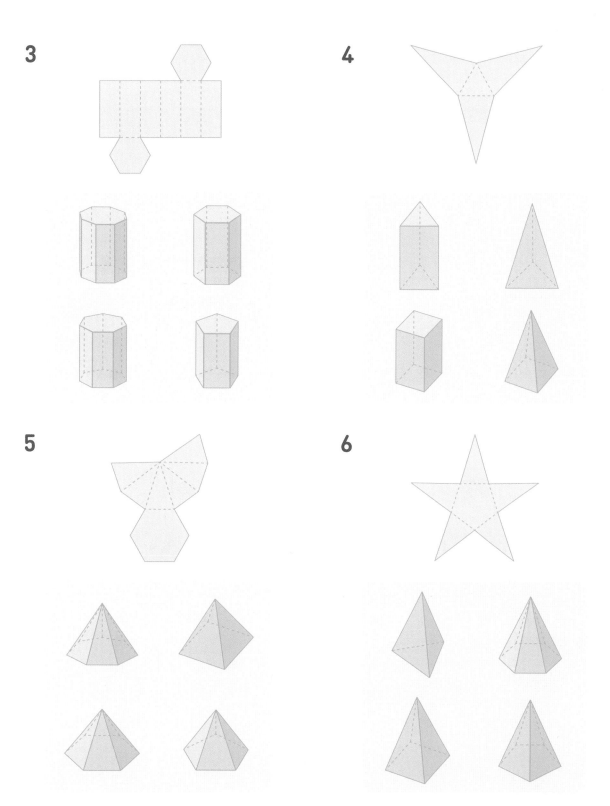

4

5

6

각기둥의 전개도

✏️ 주어진 각기둥의 전개도가 아닌 것에 ✕표 하시오.

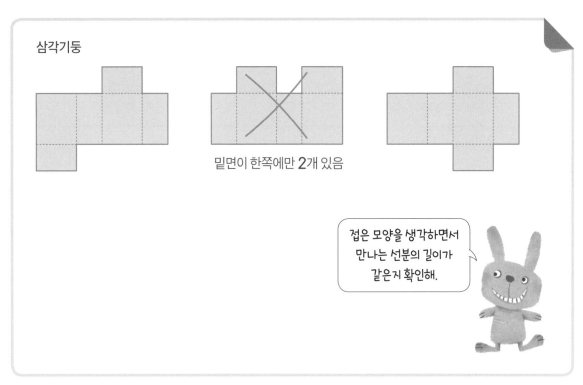

삼각기둥

밑면이 한쪽에만 **2**개 있음

접은 모양을 생각하면서 만나는 선분의 길이가 같은지 확인해.

1 삼각기둥

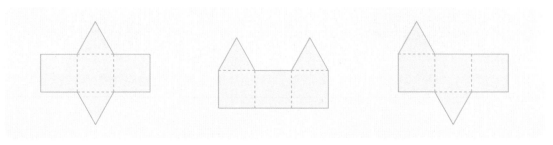

2 삼각기둥

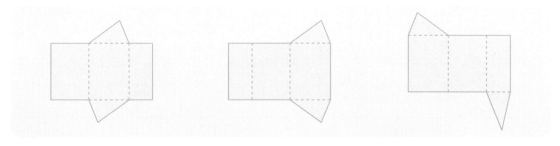

3 사각기둥

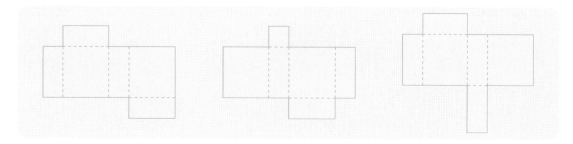

4 사각기둥

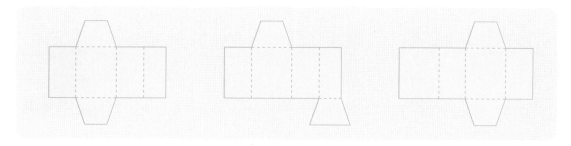

5 오각기둥

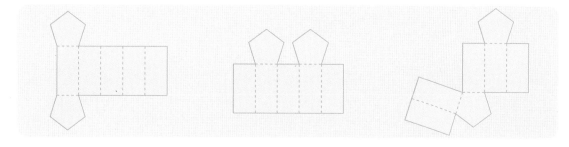

6 육각기둥

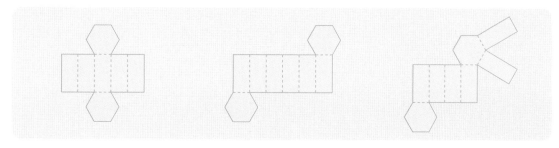

3일 각뿔의 전개도

✏️ 주어진 각뿔의 전개도가 아닌 것에 ✕표 하시오.

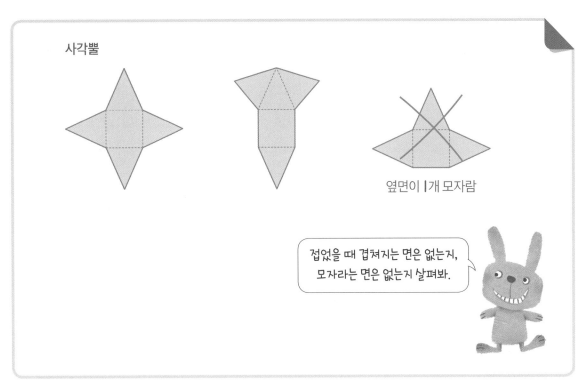

사각뿔

옆면이 1개 모자람

접었을 때 겹쳐지는 면은 없는지, 모자라는 면은 없는지 살펴봐.

1 삼각뿔

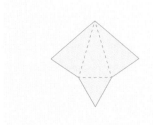 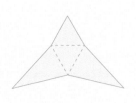 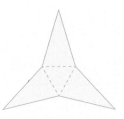

2 삼각뿔

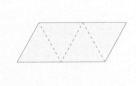 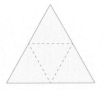 

3 사각뿔

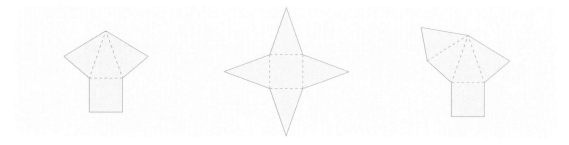

4 사각뿔

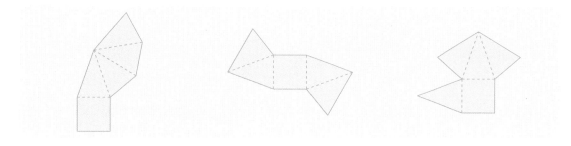

5 오각뿔

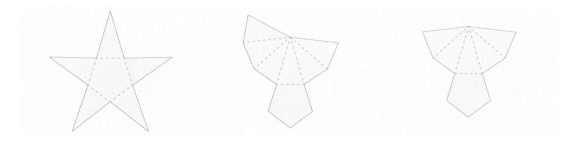

6 육각뿔

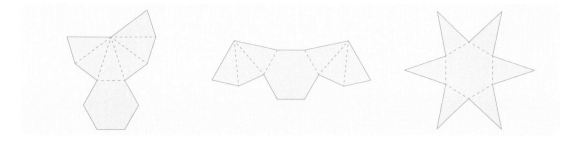

빠진 부분 그리기

각기둥의 겨냥도를 보고 전개도에서 빠진 부분을 그려 보시오.

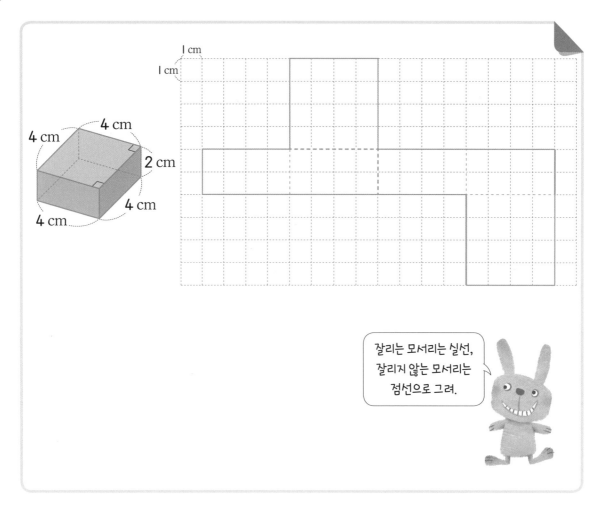

잘리는 모서리는 실선,
잘리지 않는 모서리는
점선으로 그려.

1

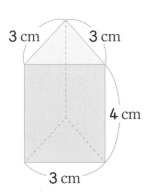

2

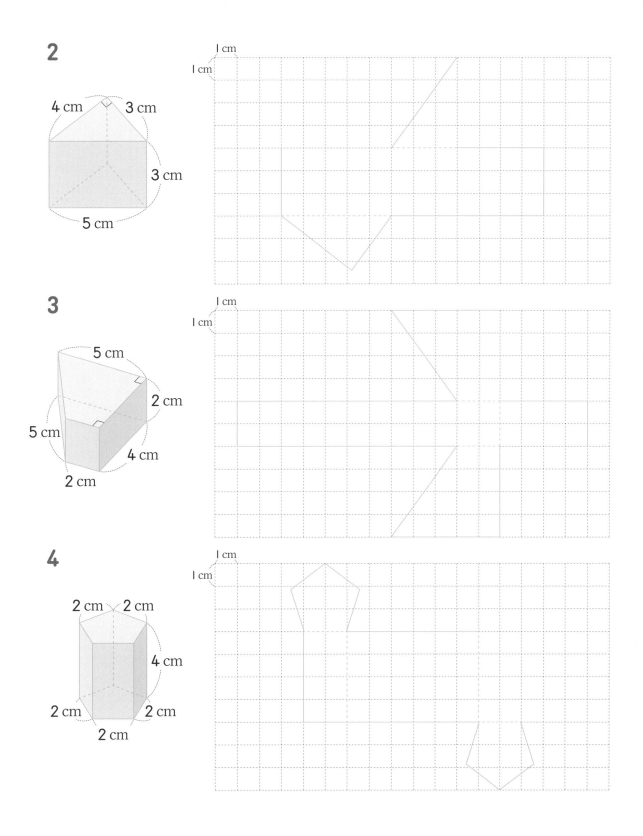

4 cm 3 cm

3 cm

5 cm

1 cm
1 cm

3

5 cm

2 cm

5 cm

4 cm

2 cm

1 cm
1 cm

4

2 cm 2 cm

4 cm

2 cm 2 cm

2 cm

1 cm
1 cm

전개도 완성하기

✏️ 점선 부분에 알맞은 면을 연결하여 그려 각기둥의 전개도를 완성하시오.

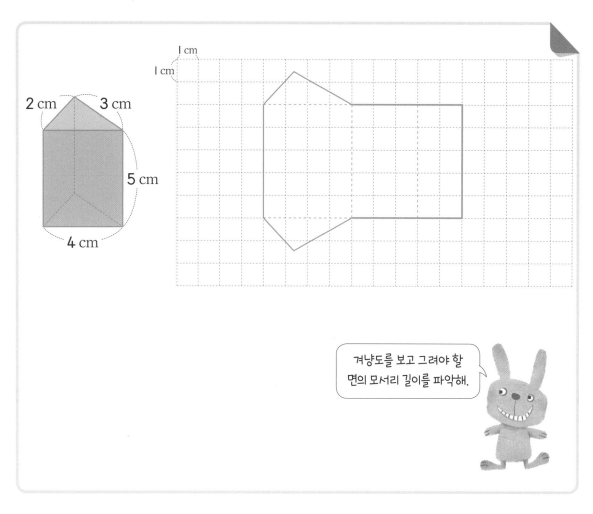

1

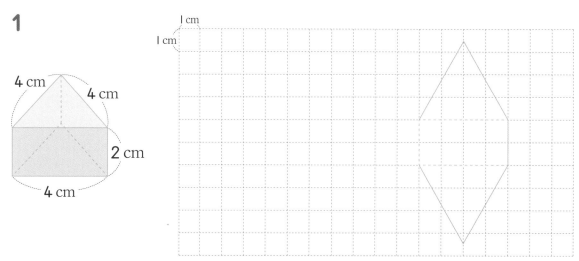

2

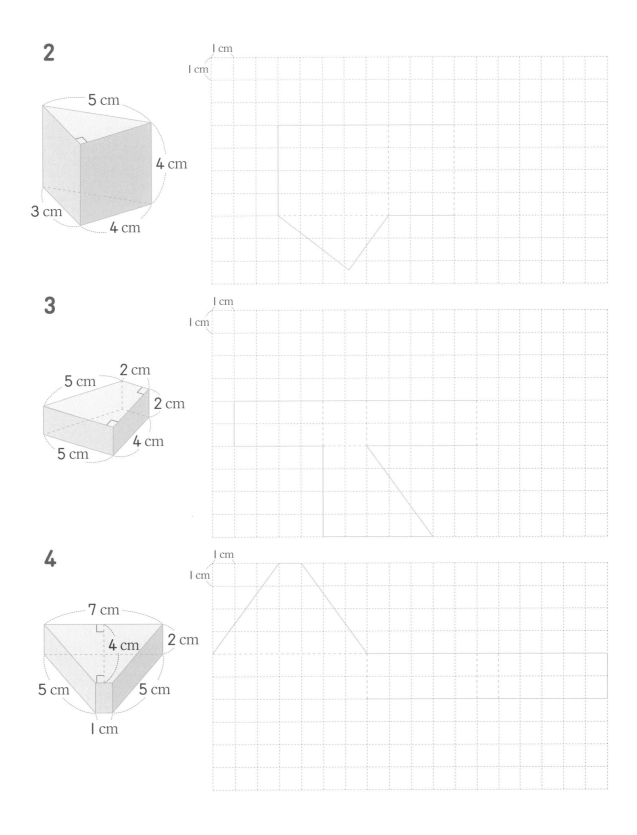

5 cm

4 cm

3 cm

4 cm

3

2 cm

5 cm

2 cm

4 cm

5 cm

4

7 cm

4 cm

2 cm

5 cm

5 cm

1 cm

✏️ 주어진 각기둥의 전개도가 아닌 것에 ✕표 하시오.

1 사각기둥

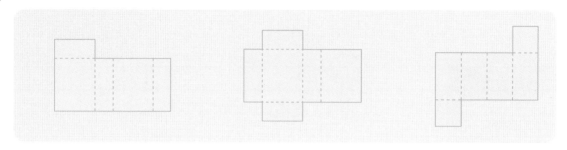

✏️ 주어진 각뿔의 전개도가 아닌 것에 ✕표 하시오.

2 삼각뿔

3 사각뿔

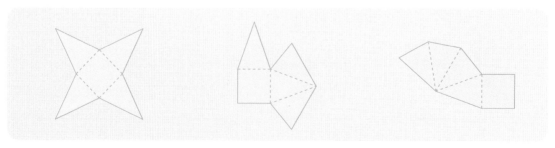

✏️ 각기둥의 겨냥도를 보고 전개도에서 빠진 부분을 그려 보시오.

4

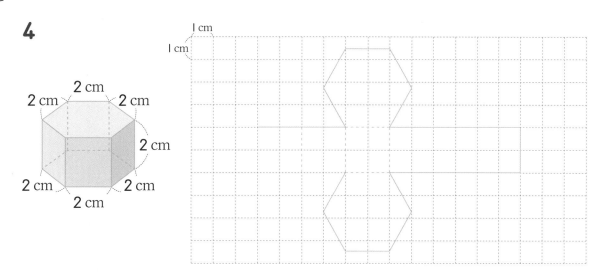

✏️ 점선 부분에 알맞은 면을 연결하여 그려 각기둥의 전개도를 완성하시오.

5

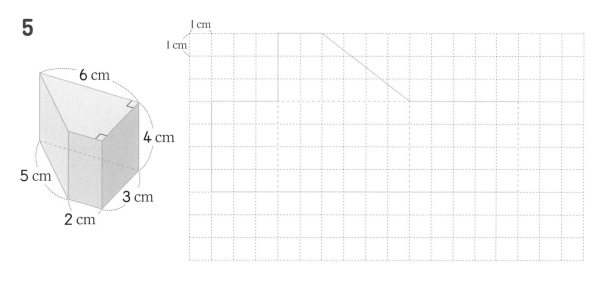

4주차

원기둥, 원뿔, 구

원기둥, 원뿔, 구

✏️ 원기둥은 □표, 원뿔은 △표, 구는 ○표 하시오.

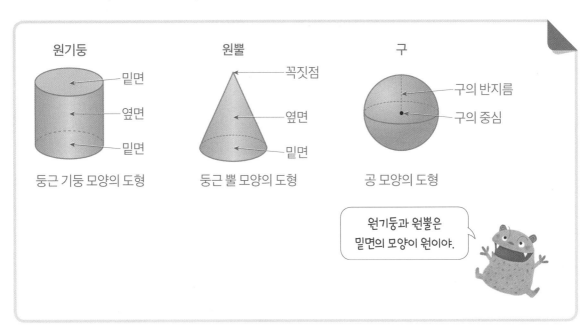

1

2

3

4

5

6

높이 비교

✏️ 원기둥과 원뿔입니다. 높이가 가장 높은 입체도형에 ◯표 하시오.

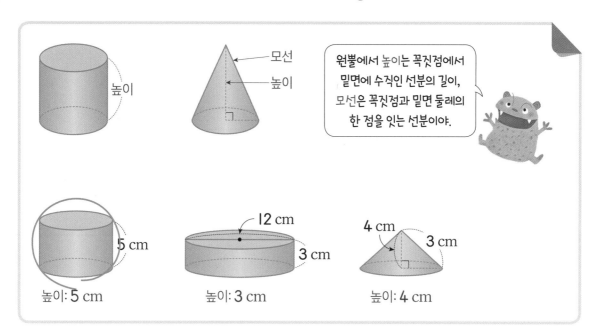

원뿔에서 높이는 꼭짓점에서
밑면에 수직인 선분의 길이,
모선은 꼭짓점과 밑면 둘레의
한 점을 잇는 선분이야.

모선
높이

높이

높이

12 cm
5 cm
3 cm
4 cm
3 cm

높이: 5 cm   높이: 3 cm   높이: 4 cm

1

6 cm
7 cm
5 cm

2

12 cm
13 cm
10 cm
14 cm
6 cm

3

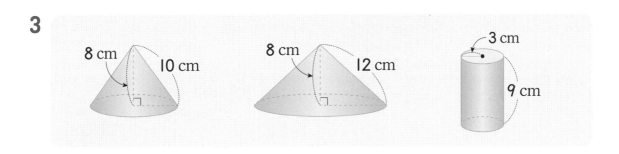

4

5

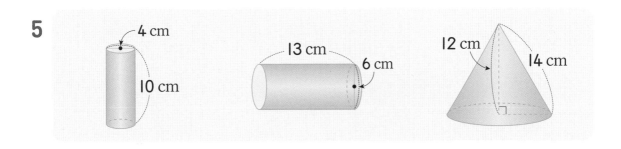

6

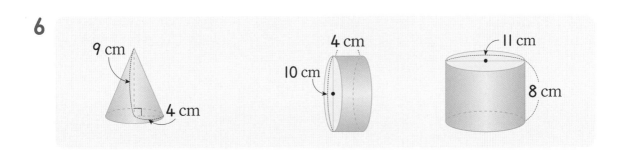

한 바퀴 돌린 모양

✏️ 평면도형을 다음과 같이 한 바퀴 돌려서 만들어지는 입체도형에 ○표 하시오.

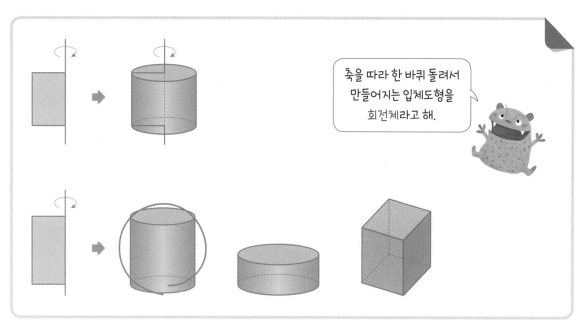

축을 따라 한 바퀴 돌려서 만들어지는 입체도형을 회전체라고 해.

1

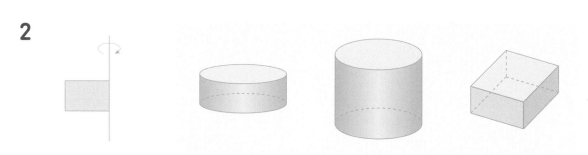

2

3

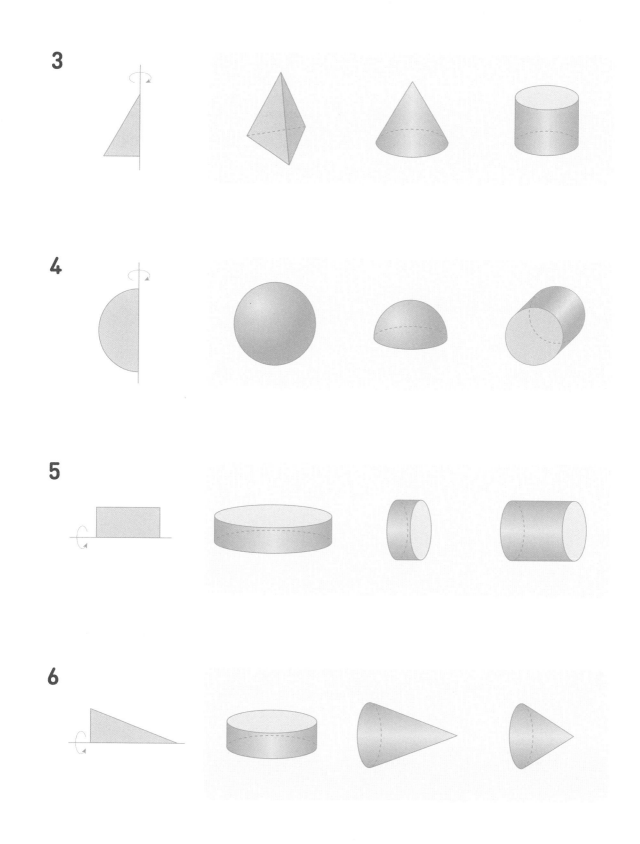

4

5

6

입체도형 자르기

✏️ 원기둥, 원뿔, 구를 ── 을 따라 두 조각으로 잘랐습니다. 잘린 면의 모양을 찾아 ○표 하시오.

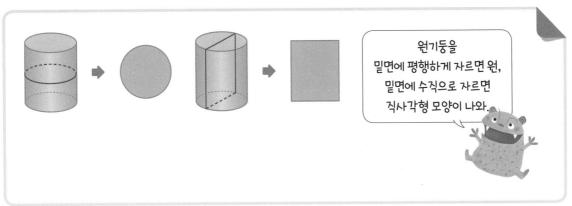

원기둥을 밑면에 평행하게 자르면 원, 밑면에 수직으로 자르면 직사각형 모양이 나와.

1

2

3

4

5

6

7

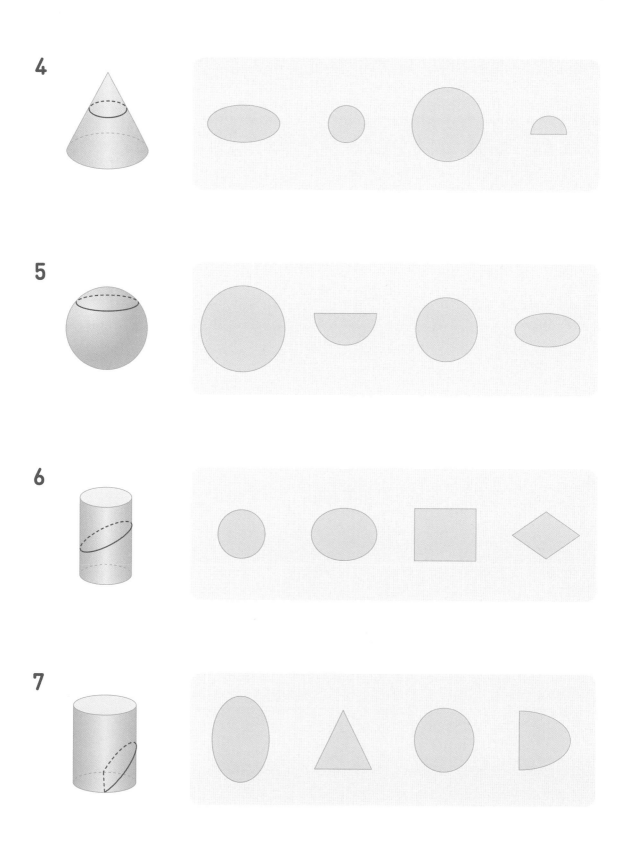

5일 위, 앞, 옆

✏️ 원기둥, 원뿔, 구를 주어진 방향에서 본 모양을 찾아 ◯표 하시오.

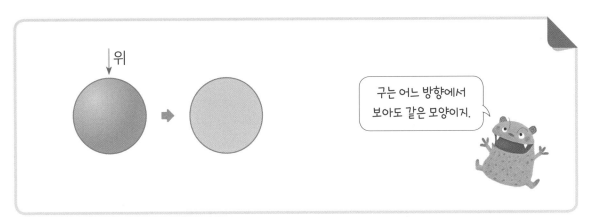

구는 어느 방향에서 보아도 같은 모양이지.

1

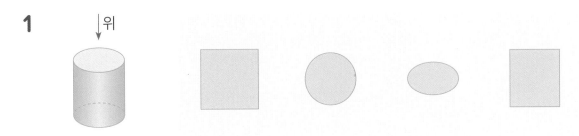

2

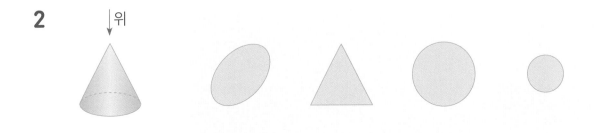

3

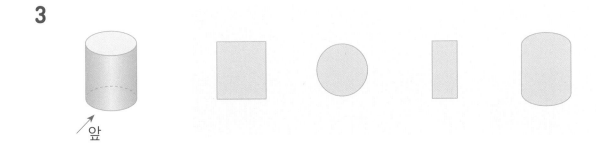

4

앞

5

앞

6

옆

7

옆

확인학습

✏️ 원기둥은 □표, 원뿔은 △표, 구는 ○표 하시오.

1

2

✏️ 평면도형을 다음과 같이 한 바퀴 돌려서 만들어지는 입체도형에 ○표 하시오.

3

4

✏️ 원뿔과 구를 ──을 따라 두 조각으로 잘랐습니다. 잘린 면의 모양을 찾아 ◯표 하시오.

5

6

✏️ 원기둥을 주어진 방향에서 본 모양을 찾아 ◯표 하시오.

7

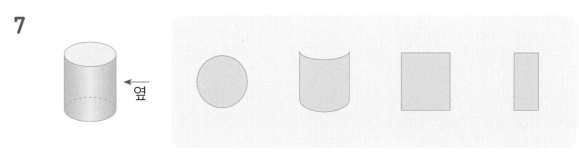

형성 평가

◆ 형성 평가에는 앞서 공부한 4주 차의 유형이 순서대로 나옵니다.

◆ 문제가 틀리면 몇 주 차인지 확인하여 반드시 다시 한번 복습합니다.

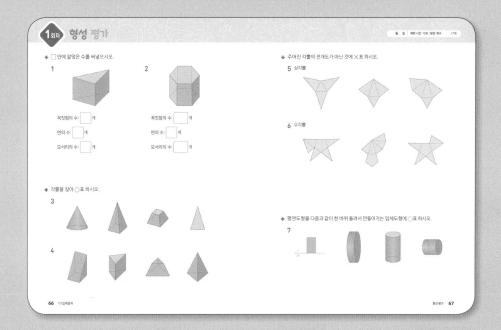

✤ ☐ 안에 알맞은 수를 써넣으시오.

1

꼭짓점의 수: ☐ 개

면의 수: ☐ 개

모서리의 수: ☐ 개

2

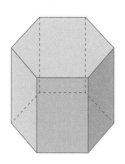

꼭짓점의 수: ☐ 개

면의 수: ☐ 개

모서리의 수: ☐ 개

✤ 각뿔을 찾아 ○표 하시오.

3

4

✚ 주어진 각뿔의 전개도가 아닌 것에 ✕표 하시오.

5 삼각뿔

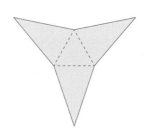 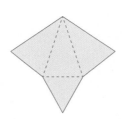 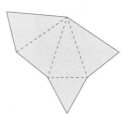

6 오각뿔

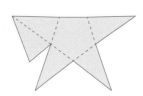 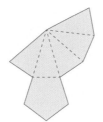 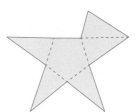

✚ 평면도형을 다음과 같이 한 바퀴 돌려서 만들어지는 입체도형에 ◯표 하시오.

7

✚ 각기둥을 찾아 ◯표 하시오.

1

2

✚ ☐ 안에 알맞은 말 또는 수를 써넣으시오.

3

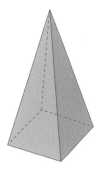

밑면의 모양: ☐

밑면의 수: ☐ 개

옆면의 수: ☐ 개

4

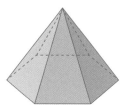

밑면의 모양: ☐

밑면의 수: ☐ 개

옆면의 수: ☐ 개

✚ 점선 부분에 알맞은 면을 연결하여 그려 각기둥의 전개도를 완성하시오.

5

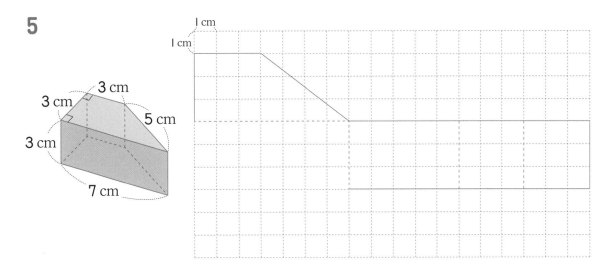

✚ 원기둥과 원뿔입니다. 높이가 가장 높은 입체도형에 ◯표 하시오.

6

7

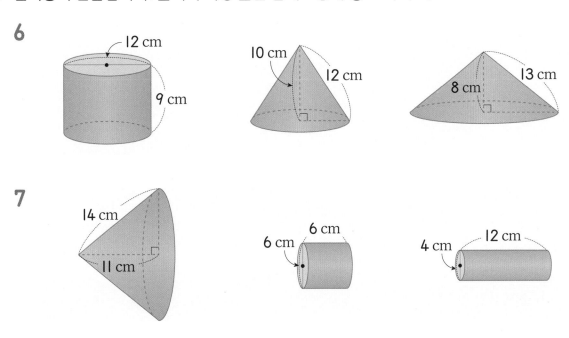

✚ 각기둥을 ──을 따라 두 조각으로 잘랐습니다. 잘린 면의 모양을 찾아 ○표 하시오.

1

2

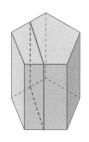 

✚ ☐ 안에 알맞은 수를 써넣으시오.

3

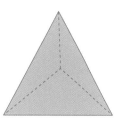

꼭짓점의 수: ☐ 개

면의 수: ☐ 개

모서리의 수: ☐ 개

4

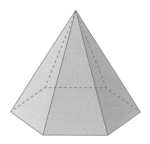

꼭짓점의 수: ☐ 개

면의 수: ☐ 개

모서리의 수: ☐ 개

✚ 전개도를 접었을 때 만들어지는 입체도형에 ◯표 하시오.

5

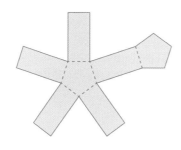

6

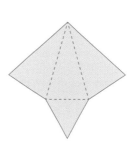

✚ 원기둥을 주어진 방향에서 본 모양을 찾아 ◯표 하시오.

7

✚ 각기둥의 이름을 ☐ 안에 써넣으시오.

1

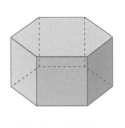

☐

2

☐

✚ 각뿔을 ── 을 따라 두 조각으로 잘랐습니다. 잘린 면의 모양을 찾아 ○표 하시오.

3

　　　△　　　　　　◇　　　

4

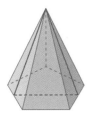　　　⬠　　　　　　　　　

✚ 주어진 각기둥의 전개도가 아닌 것에 ✕표 하시오.

5 육각기둥

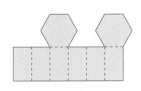 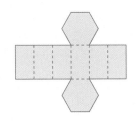 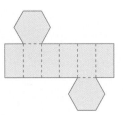

✚ 원기둥과 구를 ── 을 따라 두 조각으로 잘랐습니다. 잘린 면의 모양을 찾아 ○표 하시오.

6

7

✚ ☐ 안에 알맞은 말 또는 수를 써넣으시오.

1

밑면의 모양: ☐

밑면의 수: ☐ 개

옆면의 수: ☐ 개

2

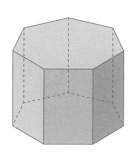

밑면의 모양: ☐

밑면의 수: ☐ 개

옆면의 수: ☐ 개

✚ 각뿔의 이름을 ☐ 안에 써넣으시오.

3

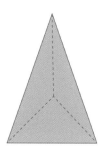

☐

4

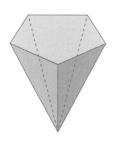

☐

✚ 각기둥의 겨냥도를 보고 전개도에서 빠진 부분을 그려 보시오.

5

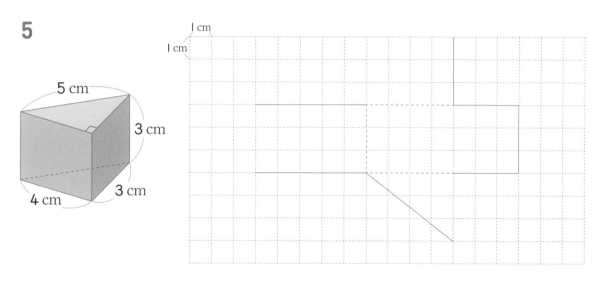

✚ 원기둥은 □표, 원뿔은 △표, 구는 ○표 하시오.

6

7

도형 학습의 기준

플라토

PLATO

F3

입체설계 | 초6

정답

사고가 자라는 수학

씨투엠

도형 학습의 기준

플라토
PLATO

F3
입체설계 | 초6

정답과 해설

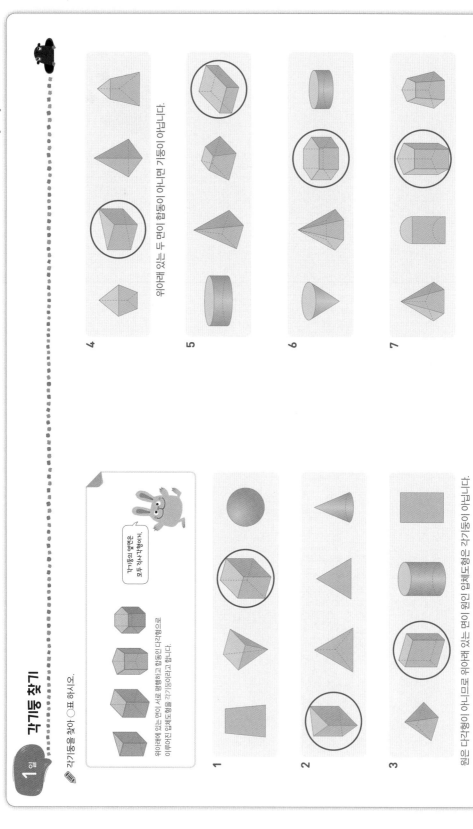

2일 밑면과 옆면

✏️ ☐ 안에 알맞은 말 또는 수를 써넣으시오.

각기둥에서 서로 평행하고 나머지 다른 면에
수직인 두 면을 밑면이라고 하고,
밑면에 수직인 면을 옆면이라고 합니다.

밑면의 모양: 사각형
밑면의 수: 2 개
옆면의 수: 4 개

각기둥에서 옆면의
수는 한 밑면의
변의 수와 같아.

1
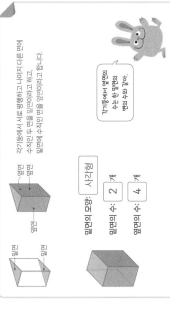
밑면의 모양: 삼각형
밑면의 수: 2 개
옆면의 수: 3 개

2
밑면의 모양: 사각형
밑면의 수: 2 개
옆면의 수: 4 개

각기둥의 밑면은 항상 2개입니다.

3
밑면의 모양: 오각형
밑면의 수: 2 개
옆면의 수: 5 개

4
밑면의 모양: 육각형
밑면의 수: 2 개
옆면의 수: 6 개

5
밑면의 모양: 칠각형
밑면의 수: 2 개
옆면의 수: 7 개

6
밑면의 모양: 팔각형
밑면의 수: 2 개
옆면의 수: 8 개

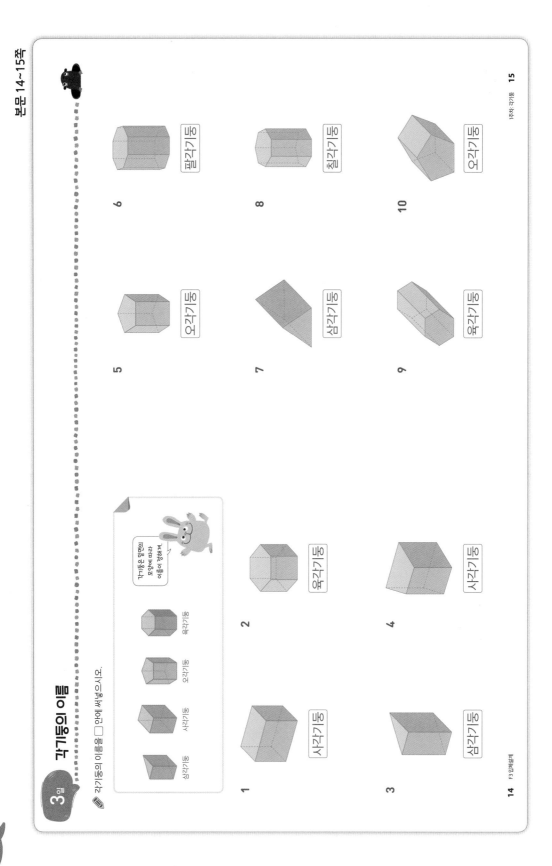

3일

각기둥의 이름

각기둥의 이름을 ☐ 안에 써넣으시오.

각기둥은 밑면의 모양에 따라 이름이 정해져.

육각기둥	오각기둥	사각기둥	삼각기둥

1 사각기둥

2 육각기둥

3 삼각기둥

4 사각기둥

5 오각기둥

6 팔각기둥

7 삼각기둥

8 칠각기둥

9 육각기둥

10 오각기둥

4일 꼭짓점, 면, 모서리

✏️ ☐ 안에 알맞은 수를 써넣으시오.

꼭짓점, 면, 모서리를 세어 보면 한 밑면의 변의 수와 관계된 규칙을 찾을 수 있어.

꼭짓점의 수: 10 개 ← (한 밑면의 변의 수)×2

면의 수: 7 개 ← (한 밑면의 변의 수)+2

모서리의 수: 15 개 ← (한 밑면의 변의 수)×3

1

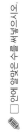

꼭짓점의 수: 6 개   3×2=6(개)

면의 수: 5 개   3+2=5(개)

모서리의 수: 9 개   3×3=9(개)

2

꼭짓점의 수: 8 개   4×2=8(개)

면의 수: 6 개   4+2=6(개)

모서리의 수: 12 개   4×3=12(개)

3

꼭짓점의 수: 10 개   5×2=10(개)

면의 수: 7 개   5+2=7(개)

모서리의 수: 15 개   5×3=15(개)

4

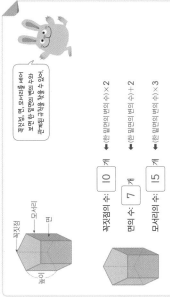

꼭짓점의 수: 12 개   6×2=12(개)

면의 수: 8 개   6+2=8(개)

모서리의 수: 18 개   6×3=18(개)

5

꼭짓점의 수: 14 개   7×2=14(개)

면의 수: 9 개   7+2=9(개)

모서리의 수: 21 개   7×3=21(개)

6

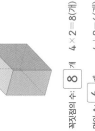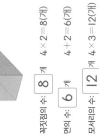

꼭짓점의 수: 16 개   8×2=16(개)

면의 수: 10 개   8+2=10(개)

모서리의 수: 24 개   8×3=24(개)

5일

각기둥 자르기

각기둥을 ─── 을 따라 두 조각으로 잘랐습니다. 잘린 면의 모양을 찾아 ○표 하시오.

잘린 면이 어떤지 상상해 봐.

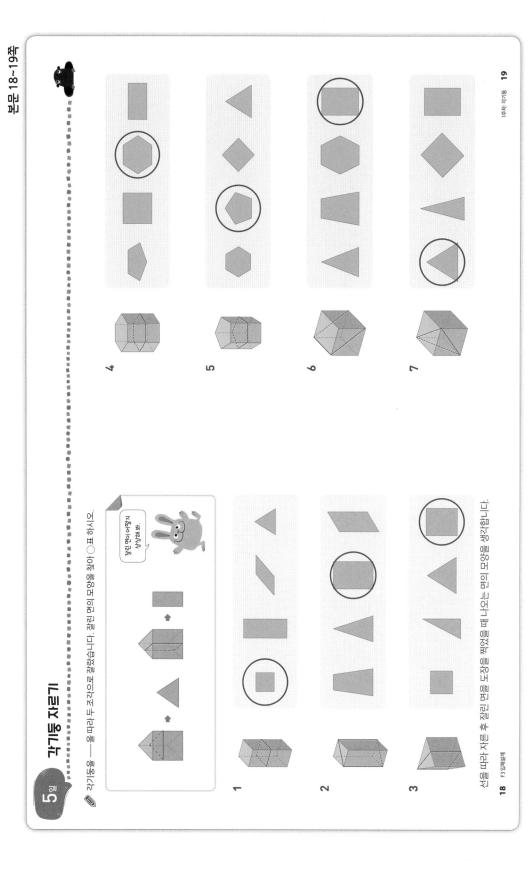

선을 따라 자른 후 잘린 면을 연결 도장을 찍었을 때 나오는 면의 모양을 생각합니다.

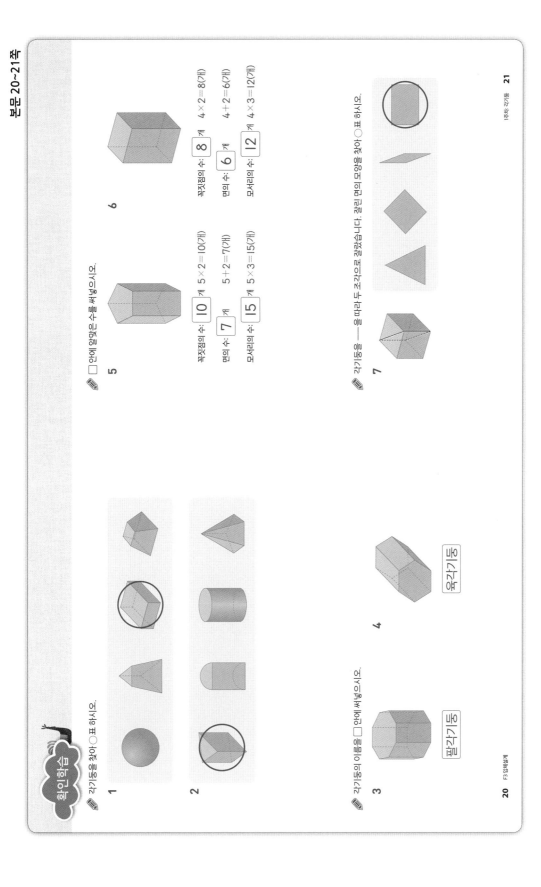

확인학습

1 각기둥을 찾아 ○표 하시오.

2

3 각기둥의 이름을 ☐ 안에 써넣으시오.

팔각기둥

4

육각기둥

5 ☐ 안에 알맞은 수를 써넣으시오.

꼭짓점의 수: **10** 개   5×2=10(개)

면의 수: **7** 개   5+2=7(개)

모서리의 수: **15** 개   5×3=15(개)

6

꼭짓점의 수: **8** 개   4×2=8(개)

면의 수: **6** 개   4+2=6(개)

모서리의 수: **12** 개   4×3=12(개)

7 각기둥을 ── 을 따라 두 조각으로 잘랐습니다. 잘린 면의 모양을 찾아 ○표 하시오.

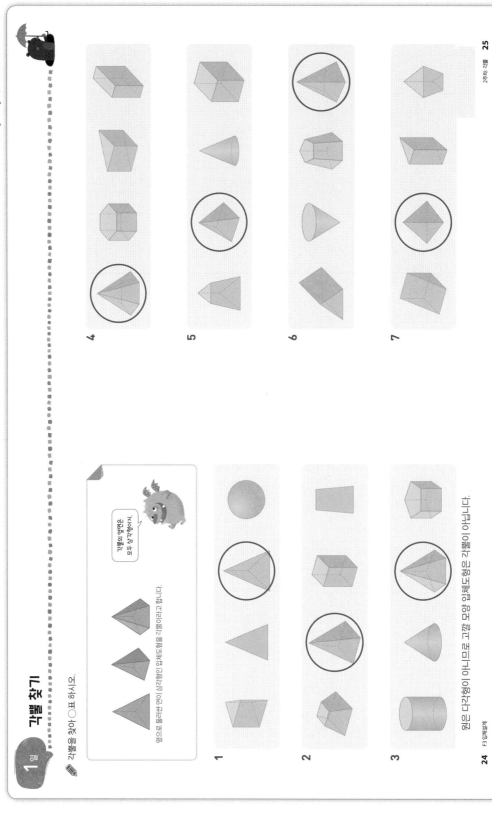

1일

각뿔 찾기

각뿔을 찾아 ◯표 하시오.

옆으로 둘러싼 면이 삼각형인 입체도형을 각뿔이라고 합니다.

각뿔의 옆면은
모두 삼각형이야.

1

2

3

원은 다각형이 아니므로 고깔 모양 입체도형은 각뿔이 아닙니다.

4

5

6

7

2일 밑면과 옆면

□ 안에 알맞은 말 또는 수를 써넣으시오.

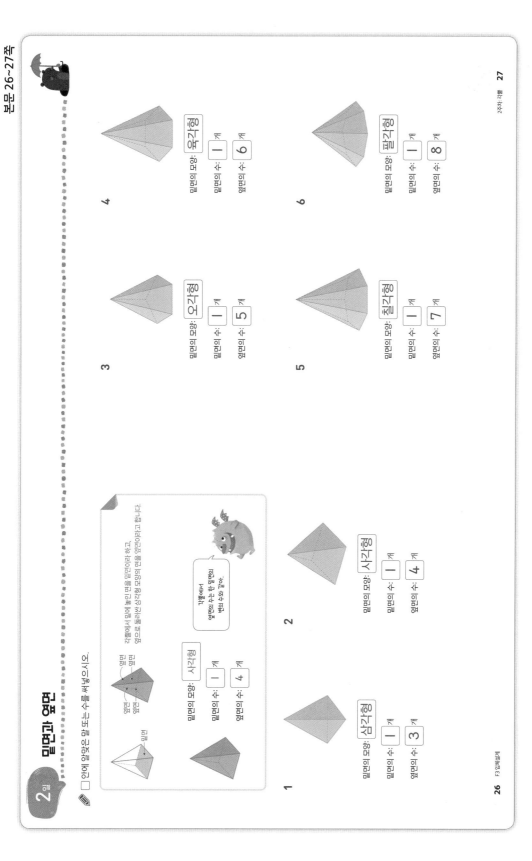

각뿔에서 밑에 놓인 면을 밑면이라 하고, 옆으로 둘러싼 삼각형 모양의 면을 옆면이라고 합니다.

밑면의 모양: 사각형
밑면의 수: 1 개
옆면의 수: 4 개

각뿔에서 옆면의 수는 한 밑면의 변의 수와 같아.

1
밑면의 모양: 삼각형
밑면의 수: 1 개
옆면의 수: 3 개

2
밑면의 모양: 사각형
밑면의 수: 1 개
옆면의 수: 4 개

3
밑면의 모양: 오각형
밑면의 수: 1 개
옆면의 수: 5 개

4
밑면의 모양: 육각형
밑면의 수: 1 개
옆면의 수: 6 개

5
밑면의 모양: 칠각형
밑면의 수: 1 개
옆면의 수: 7 개

6
밑면의 모양: 팔각형
밑면의 수: 1 개
옆면의 수: 8 개

3일 각뿔의 이름

✏️ 각뿔의 이름을 □ 안에 써넣으세요.

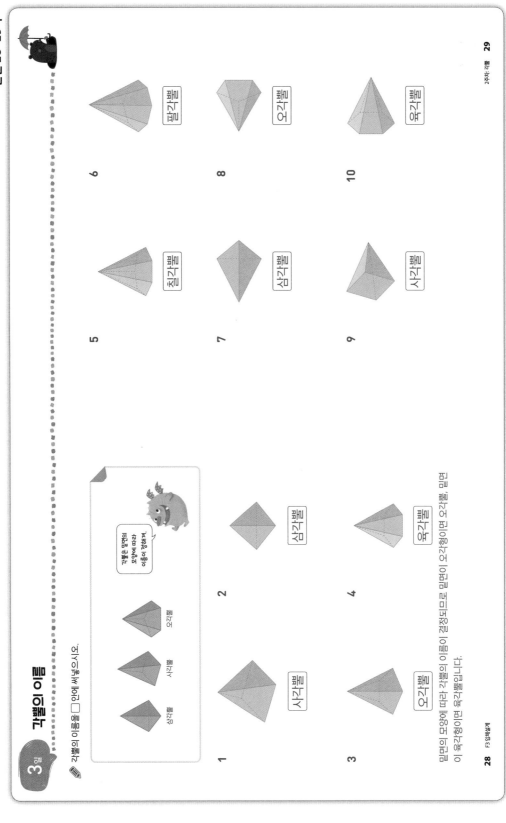

각뿔은 밑면의
모양에 따라
이름이 정해져.

삼각뿔　사각뿔　오각뿔

1　사각뿔
2　사각뿔
3　오각뿔
4　육각뿔

밑면이 모양에 따라 각뿔의 이름이 이름이 정해지므로 밑면이 오각형이면 오각뿔, 밑면
이 육각형이면 육각뿔입니다.

5　칠각뿔
6　팔각뿔
7　삼각뿔
8　오각뿔
9　사각뿔
10　육각뿔

4일 꼭짓점, 면, 모서리

□ 안에 알맞은 수를 써넣으시오.

각뿔의 꼭짓점·꼭짓점 중에서 옆면이 모두 만나는 점

꼭짓점의 수: 6 개   3+1=4(개)

면의 수: 6 개   3+1=4(개)

모서리의 수: 10 개   3×2=6(개)

모양을 살펴보면 꼭짓점, 면, 모서리와 한 밑면의 변의 수와의 규칙을 이해할 수 있어.

→ (한 밑면의 변의 수)+1

→ (한 밑면의 변의 수)+1

→ (한 밑면의 변의 수)×2

1

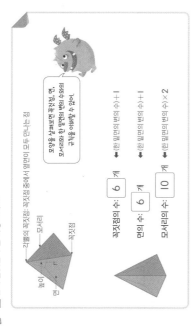

꼭짓점의 수: 4 개   3+1=4(개)

면의 수: 4 개   3+1=4(개)

모서리의 수: 6 개   3×2=6(개)

2

꼭짓점의 수: 5 개   4+1=5(개)

면의 수: 5 개   4+1=5(개)

모서리의 수: 8 개   4×2=8(개)

각뿔에서 꼭짓점의 수는 밑면의 변의 수보다 1개 더 많지만 각뿔의 꼭짓점은 1개만 있습니다.

3

꼭짓점의 수: 6 개   5+1=6(개)

면의 수: 6 개   5+1=6(개)

모서리의 수: 10 개   5×2=10(개)

4

꼭짓점의 수: 7 개   6+1=7(개)

면의 수: 7 개   6+1=7(개)

모서리의 수: 12 개   6×2=12(개)

5

꼭짓점의 수: 8 개   7+1=8(개)

면의 수: 8 개   7+1=8(개)

모서리의 수: 14 개   7×2=14(개)

6

꼭짓점의 수: 9 개   8+1=9(개)

면의 수: 9 개   8+1=9(개)

모서리의 수: 16 개   8×2=16(개)

5일 각뿔 자르기

각뿔을 ──을 따라 두 조각으로 잘랐습니다. 잘린 면의 모양을 찾아 ◯표 하시오.

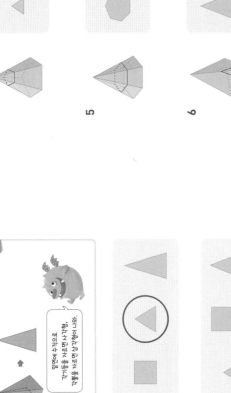

각뿔을 밑면에 평행하게 자른 단면은 밑면과 모양은 같고 크기는 작은 다각형이 나옵니다.

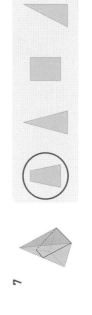

창의융합

1 ✏ □ 안에 알맞은 말 또는 수를 써넣으시오.

밑면의 모양: 삼각형

밑면의 수: 1 개

옆면의 수: 3 개

2

밑면의 모양: 팔각형

밑면의 수: 1 개

옆면의 수: 8 개

3 ✏ 각뿔의 이름을 □ 안에 써넣으시오.

삼각뿔

4

육각뿔

5 ✏ □ 안에 알맞은 수를 써넣으시오.

꼭짓점의 수: 5 개   4+1=5(개)

면의 수: 5 개   4+1=5(개)

모서리의 수: 8 개   4×2=8(개)

6

꼭짓점의 수: 7 개   6+1=7(개)

면의 수: 7 개   6+1=7(개)

모서리의 수: 12 개   6×2=12(개)

7 ✏ 각뿔을 ── 을 따라 두 조각으로 잘랐습니다. 잘린 면의 모양을 찾아 ○표 하시오.

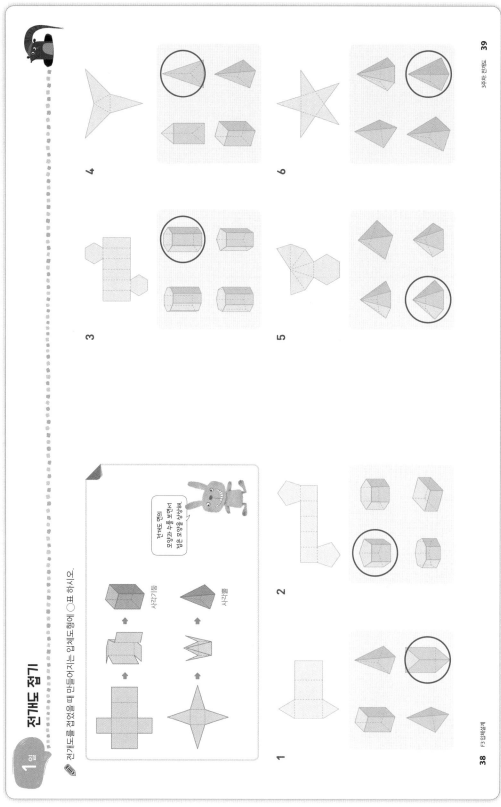

1일 전개도 접기

✏️ 전개도를 접었을 때 만들어지는 입체도형에 ◯표 하시오.

사각기둥

사각뿔

전개도 면의
모양과 수를 보면서
입체도형을 찾아 봐.

1

2

3

4

5

6

각기둥의 전개도

2일

✏️ 주어진 각기둥의 전개도가 아닌 것에 ✕표 하시오.

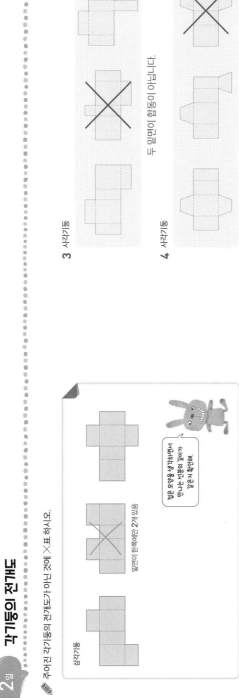

삼각기둥

밑면이 한쪽에만 2개 있음

정답 모양을 생각하면서
만나는 선분의 길이가
같은지 확인해.

1 삼각기둥

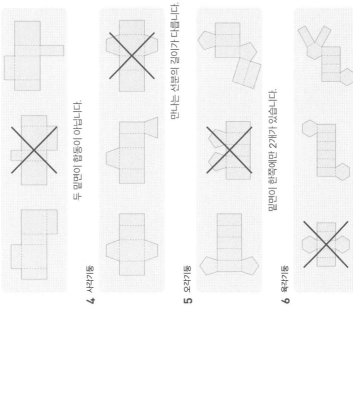

밑면이 한쪽에만 2개가 있습니다.

2 삼각기둥

만나는 선분의 길이가 다릅니다.

3 사각기둥

두 옆면이 합동이 아닙니다.

4 사각기둥

만나는 선분의 길이가 다릅니다.

5 오각기둥

밑면이 한쪽에만 2개가 있습니다.

6 육각기둥

옆면이 1개 모자랍니다.

3일 각뿔의 전개도

주어진 각뿔의 전개도가 아닌 것에 ✕표 하시오.

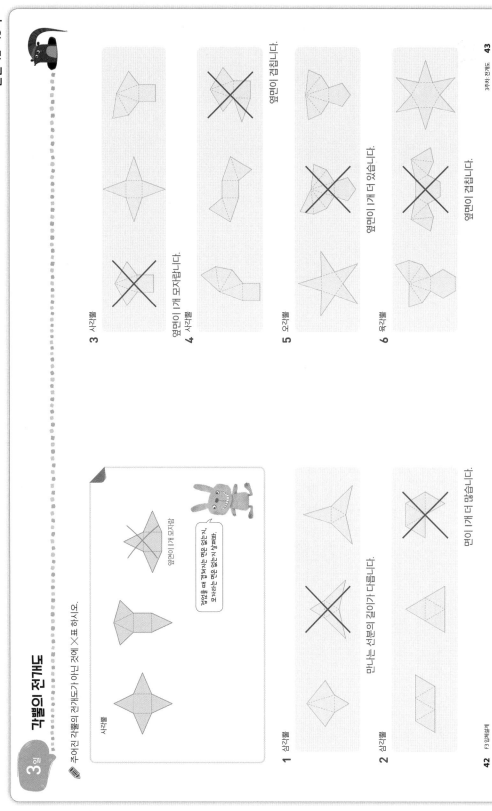

옆면이 1개 모자람

정답을 때 겹쳐지는 면은 없는지, 모자라는 면은 없는지 살펴봐.

사각뿔

1 삼각뿔

만나는 선분의 길이가 다릅니다.

2 삼각뿔

면이 1개 더 많습니다.

3 사각뿔

옆면이 1개 모자랍니다.

4 사각뿔

옆면이 겹칩니다.

5 오각뿔

옆면이 1개 더 있습니다.

6 육각뿔

옆면이 겹칩니다.

4일

빠진 부분 그리기

✏️ 각기둥의 겨냥도를 보고 전개도에서 빠진 부분을 그려 보시오.

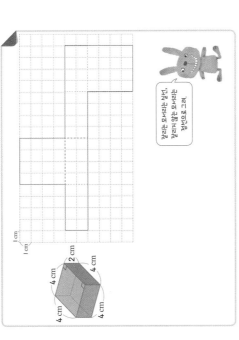

만나는 모서리의 길이가 같도록 전개도의 빠진 부분을 그립니다.

2

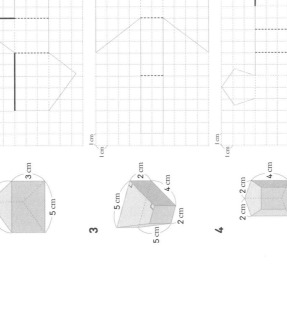

3

4

5일 전개도 완성하기

✏️ 점선 부분에 알맞은 연필을 연결하여 그려 각기둥의 전개도를 완성하시오.

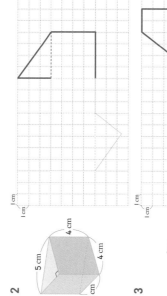

2

4 cm
5 cm
4 cm
3 cm

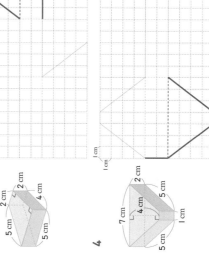

3

2 cm
5 cm
2 cm
4 cm
5 cm
5 cm

4

2 cm
7 cm
4 cm
5 cm
5 cm
1 cm

1 cm

겨냥도를 보고 그려야 할 면의 모서리 길이를 파악해.

1

4 cm
4 cm
2 cm
4 cm

겨냥도에서 모서리 ㄱㄴ의 길이를 확인한 후 만나는 모서리의 길이가 같도록 전개도를 완성합니다.

2 cm
3 cm
5 cm
4 cm

1 cm

각기둥의 겨냥도를 보고 전개도에서 빠진 부분을 그려 보시오.

4

2 cm 2 cm
2 cm   2 cm
2 cm
2 cm   2 cm
2 cm

1 cm

점선 부분에 알맞은 면을 연결하여 그려 각기둥의 전개도를 완성하시오.

5

6 cm   4 cm
5 cm   3 cm
2 cm

1 cm

주어진 각기둥의 전개도가 아닌 것에 ✕표 하시오.

1 사각기둥

면이 1개 모자랍니다.

주어진 각뿔의 전개도가 아닌 것에 ✕표 하시오.

2 삼각뿔

면이 1개 모자랍니다.

3 사각뿔

면이 겹칩니다.

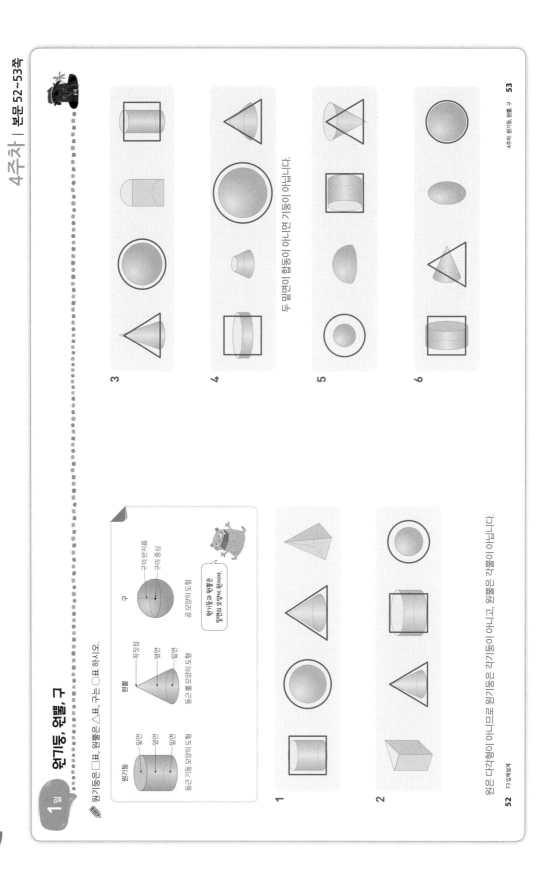

정답과
해설

1일 원기둥, 원뿔, 구

✎ 원기둥은 □표, 원뿔은 △표, 구는 ○표 하시오.

원기둥
- 밑면
- 옆면
- 높이
둥근 기둥 모양의 도형

원뿔
- 꼭짓점
- 옆면
- 밑면
둥근 뿔 모양의 도형

구
- 구의 반지름
- 구의 중심
공 모양의 도형

원기둥과 원뿔은
밑면이 모양이 달라요.

1

2

원은 다각형이 아니므로 원기둥은 각기둥이 아니고, 원뿔은 각뿔은 아닙니다.

3

4

두 밑면이 합동이 아니면 기둥이 아닙니다.

5

6

2일 높이 비교

✏️ 원기둥과 원뿔입니다. 높이가 가장 높은 것을 입체도형에 ◯표 하시오.

> 원뿔에서 높이는 꼭지점에서 밑면에 수직인 선분의 길이, 모선은 꼭지점과 밑면의 둘레를 잇는 선분이에요.

모선 / 높이

높이: 3 cm

높이: 5 cm

높이: 4 cm

1

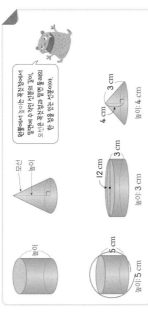

2

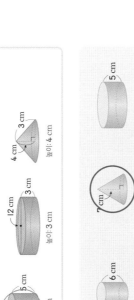

원뿔에서 모선은 밑면에 수직인 선분의 길이가 아니므로 높이가 아닙니다.

3

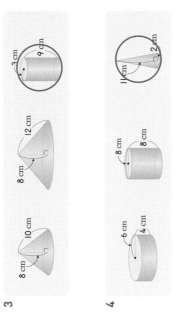

4

5

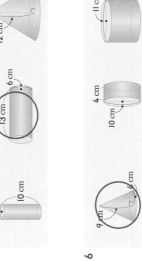

6

3일 한 바퀴 돌린 모양

평면도형을 다음과 같이 한 바퀴 돌려서 만들어지는 입체도형에 ◯표 하시오.

축을 따라 한 바퀴를 돌려서 만들어지는 입체도형을 회전체라고 해.

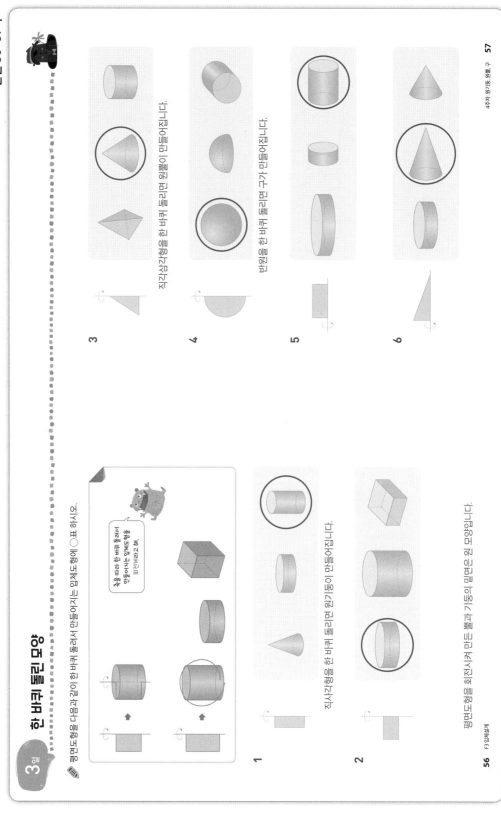

1 직사각형을 한 바퀴 돌리면 원기둥이 만들어집니다.

2 평면도형을 회전시켜 만드는 뿔과 기둥이 미래분은 원 한 명이어야요.

3 직각삼각형을 한 바퀴 돌리면 원뿔이 만들어집니다.

4 반원을 한 바퀴 돌리면 구가 만들어집니다.

5

6

4일 입체도형 자르기

원기둥, 원뿔, 구를 ——을 따라 두 조각으로 잘랐습니다. 잘린 면의 모양을 찾아 ○표 하시오.

원기둥을 밑면에 평행하게 자르면 원, 밑면에 수직으로 자르면 직사각형 모양이 나와요.

1

2

3

원뿔을 밑면에 평행하게 자르면 원, 밑면에 수직으로 자르면 이등변삼각형이 나옵니다. 구를 자른 단면은 항상 원 모양입니다.

58 F3 입체설계

4

5

6

7

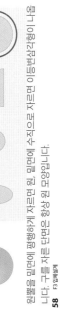

4주차: 원기둥, 원뿔, 구　**59**

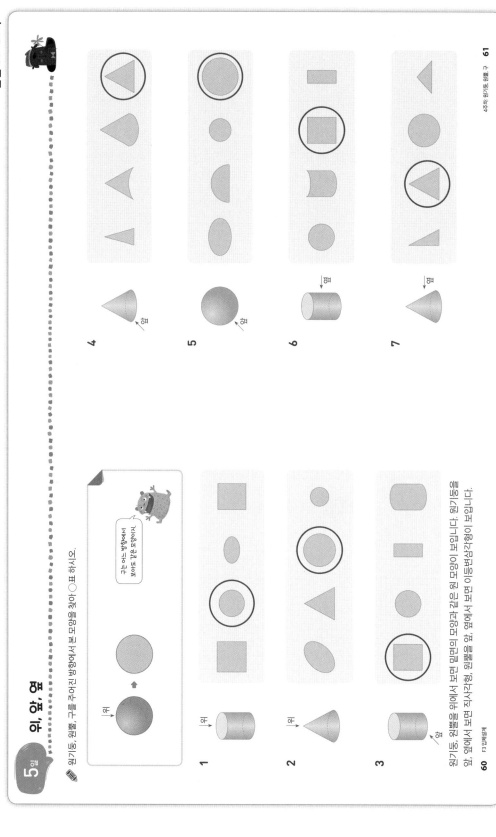

62

확인학습

✏️ 원기둥은 □표, 원뿔은 △표, 구는 ○표 하시오.

1

2

✏️ 평면도형을 다음과 같이 한바퀴 돌려서 만들어지는 입체도형에 ○표 하시오.

3

4

F3 입체설계

63

✏️ 원뿔과 구를 ——을 따라 두 조각으로 잘랐습니다. 잘린 면의 모양을 찾아 ○표 하시오.

5

6

✏️ 원기둥을 주어진 방향에서 본 모양을 찾아 ○표 하시오.

7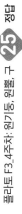

앞

1회차 형성 평가

제한 시간 10분 / 맞은 개수 ☐ /7개

월 일 점

✦ ☐ 안에 알맞은 수를 써넣으시오.

1

꼭짓점의 수: 6 개 3×2=6(개)
면의 수: 5 개 3+2=5(개)
모서리의 수: 9 개 3×3=9(개)

2

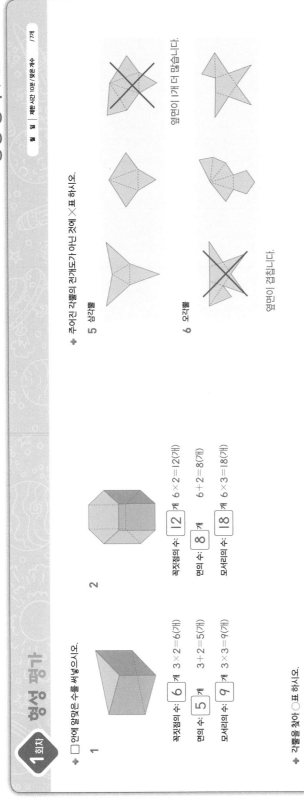

꼭짓점의 수: 12 개 6×2=12(개)
면의 수: 8 개 6+2=8(개)
모서리의 수: 18 개 6×3=18(개)

✦ 각뿔을 찾아 ○표 하시오.

3

4

✦ 주어진 각뿔의 전개도가 아닌 것에 ×표 하시오.

5 삼각뿔

옆면이 1개 더 많습니다.

6 오각뿔

옆면이 겹칩니다.

✦ 평면도형을 다음과 같이 한 바퀴 돌려서 만들어지는 입체도형에 ○표 하시오.

7

직사각형을 한 바퀴 돌리면 돌리면 원기둥이 만들어집니다.

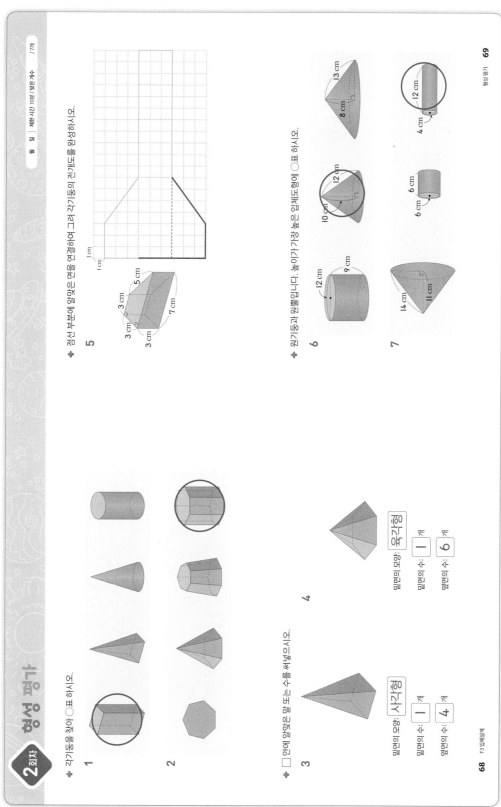

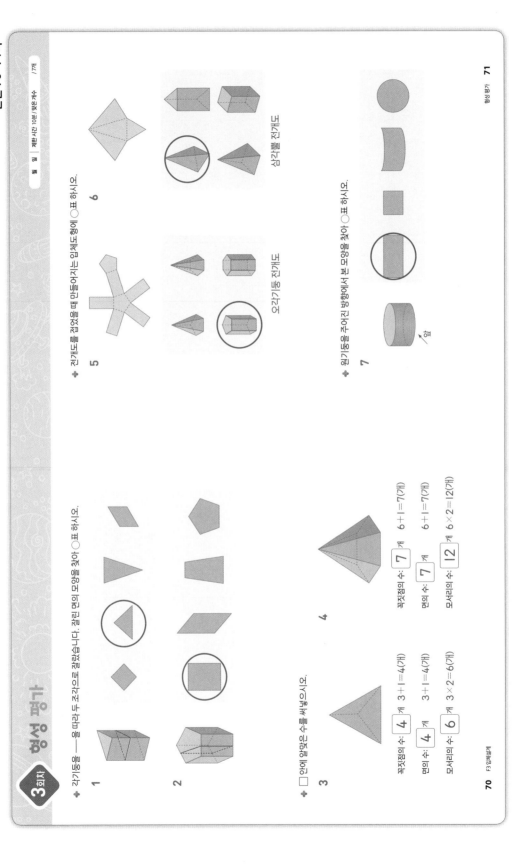

3회차 형성 평가

월 일 | 제한 시간 10분 / 맞은 개수 /7개

✚ 각기둥을 ── 을 따라 두 조각으로 잘랐습니다. 잘린 면의 모양을 찾아 ○표 하시오.

1

2

✚ ☐ 안에 알맞은 수를 써넣으시오.

3

꼭짓점의 수: 4 개   3+1=4(개)
면의 수: 4 개   3+1=4(개)
모서리의 수: 6 개   3×2=6(개)

4

꼭짓점의 수: 7 개   6+1=7(개)
면의 수: 7 개   6+1=7(개)
모서리의 수: 12 개   6×2=12(개)

✚ 전개도를 접었을 때 만들어지는 입체도형에 ○표 하시오.

5

오각기둥 전개도

6

삼각뿔 전개도

✚ 원기둥을 주어진 방향에서 본 모양을 찾아 ○표 하시오.

7

↗ 앞

F3 입체세계 **70**

71 형성 평가

4회차 형성 평가 1단계

월 일 제한 시간: 10분 | 맞은 개수 /7개

✦ 각기둥의 이름을 ☐ 안에 써넣으시오.

1

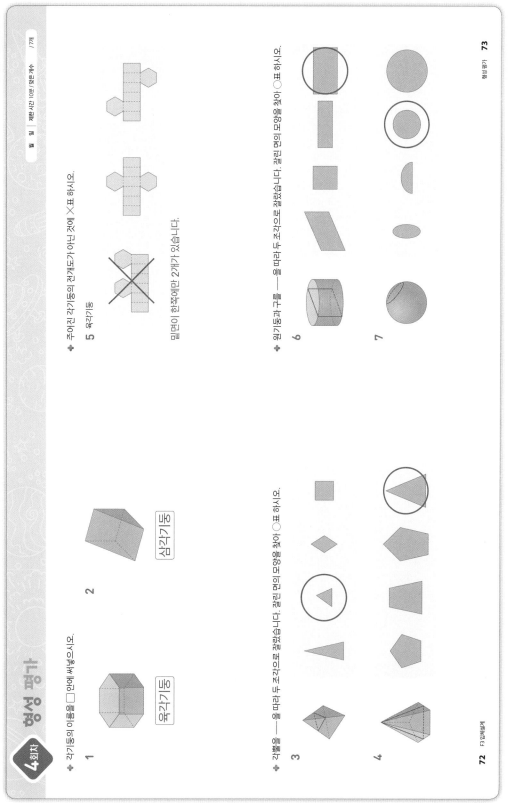

육각기둥

2

삼각기둥

✦ 끼블을 ━━ 을 따라 두 조각으로 잘랐습니다. 잘린 면의 모양을 찾아 ◯표 하시오.

3

4

✦ 주어진 각기둥의 전개도가 아닌 것에 ✕표 하시오.

5 육각기둥

밑면이 한쪽에만 2개가 있습니다.

✦ 원기둥과 구를 ━━ 을 따라 두 조각으로 잘랐습니다. 잘린 면의 모양을 찾아 ◯표 하시오.

6

7

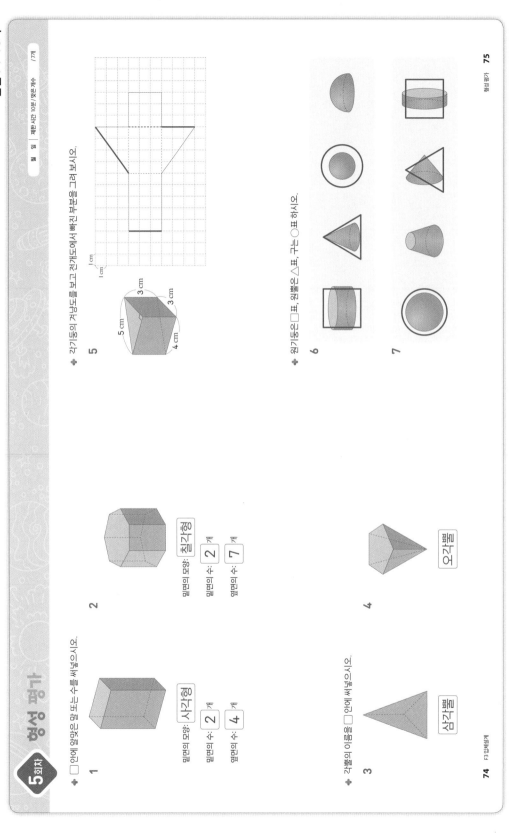

5회차 형성 평가

월 일 | 제한 시간 10분 / 맞은 개수 /7개

✚ ☐ 안에 알맞은 말 또는 수를 써넣으시오.

1

밑면의 모양: 사각형

밑면의 수: 2 개

옆면의 수: 4 개

2

밑면의 모양: 칠각형

밑면의 수: 2 개

옆면의 수: 7 개

✚ 각뿔의 이름을 ☐ 안에 써넣으시오.

3

사각뿔

4

오각뿔

✚ 각기둥의 겨냥도를 보고 전개도에서 빠진 부분을 그려 보시오.

5

3 cm
3 cm
5 cm
4 cm

1 cm
1 cm

✚ 원기둥은 ☐표, 원뿔은 △표, 구는 ○표 하시오.

6

7

Memo

Memo

"Let no one untrained in geometry enter.

"기하학을 모르는 자, 이 문을 들어오지 말라."